Jean-Baptiste Santamaria

W9-DET-836

Rois de France

FIRST
Editions

ISBN 2-75400-142-5
Dépôt légal : 1er trimestre 2006
Imprimé en Italie
Conception couverture : Bleu T

Conception graphique : Georges Brevière

Nous nous efforçons de publier des ouvrages qui correspondent à vos attentes et votre satisfaction est pour nous une priorité.
Alors, n'hésitez pas à nous faire part de vos commentaires à :

Éditions Générales First
27, rue Cassette, 75006 Paris
Tél : 01 45 49 60 00
Fax : 01 45 49 60 01
e-mail : firstinfo@efirst.com

En avant-première, nos prochaines parutions, des résumés de tous les ouvrages du catalogue. Dialoguez en toute liberté avec nos auteurs et nos éditeurs. Tout cela et bien plus sur Internet à www.efirst.com

Sommaire

Introduction

La France n'a plus de rois depuis plus d'un siècle et demi, mais ces derniers continuent à fasciner : le château de Versailles, demeure de Louis XIV, attire ainsi chaque année trois millions de visiteurs, venus du monde entier. Les rois ont également laissé de nombreuses traces dans la culture populaire : que l'on pense à la chanson du bon roi Dagobert qui a mis sa culotte à l'envers, ou encore au souvenir de Saint Louis rendant la justice sous un chêne… Pourtant, au-delà de ces images d'Épinal, les rois de France sont souvent mal connus. Ils ont pourtant régné plus de 1 300 ans : presque dix fois plus longtemps que les cinq Républiques réunies ! C'est dire s'ils ont marqué le destin d'un pays, au point qu'on a pu affirmer que ce sont les rois qui ont fait la France.

Redécouvrir la vie de ces soixante-cinq rois, de Clovis à Louis-Philippe, c'est l'occasion de rafraîchir sa culture générale et de partir à la rencontre d'une étonnante galerie de portraits : à Louis IX, roi saint, répond Henri IV, roi séducteur. À Charles V, roi sage et érudit, répond Charles VI, roi fou menant son royaume à la faillite. Autant de destins parfois drôles, souvent tourmentés, toujours exceptionnels, que nous découvrirons au gré des notices qui leur sont consacrées.

Nous n'avons retenu que 65 rois de France, et non 69 comme c'est souvent le cas. Il nous a paru en effet difficile d'inclure les trois prédecesseurs de Clovis (Clodion, Mérovée, Childéric) : leur domination ne s'étendait pas réellement sur la France, mais plutôt sur le Nord et l'actuelle Belgique. En outre, les deux premiers sont connus par des récits en partie légendaire.

Enfin, l'absence d'un quatrième « roi de France », le fils de Louis XVI, celui qu'on nomme Louis XVII, s'explique tout simplement par le fait qu'il n'a jamais régné, mais a été qualifié ainsi à la mort de Louis XVI par les monarchistes, qui refusaient d'accepter l'avènement de la République proclamée le 21 septembre 1792.

Les mots en italique et avec un astérisque* sont définis dans le glossaire, à la fin du livre.

Première partie

PETIT GUIDE DE
LA MONARCHIE FRANÇAISE

D'où les rois tiraient-ils leur pouvoir ? Comment l'exerçaient-ils ? Les fondements du pouvoir royal se sont profondément modifiés avec le temps : on ne régnait pas de la même manière sous Louis VI, au temps des croisades, et sous Louis-Philippe, au début du développement du chemin de fer !

I. Les règles de succession

La royauté française est héréditaire. Certes, en quelques rares occasions, les grands seigneurs du royaume eurent à désigner un roi. Mais ils privilégiaient, en règle générale, des prétendants appartenant aux familles royales, demeurant très réticents à un changement de dynastie. Si bien que seules quelques dynasties ont régné : Mérovingiens jusqu'en 751, Carolingiens jusqu'en 987 et Capétiens, ces derniers ayant régné par branche directe jusqu'en 1328, puis par des branches collatérales (Valois, Bourbons, Orléans) jusqu'en 1848. Ces dynasties avaient leurs propres règles de succession, mais quelques principes généraux apparaissent.

Le droit d'aînesse : une invention tardive

L'idée que le royaume est indivisible et revient à l'aîné des garçons – on parle de primogéniture mâle – n'était pas naturelle pour les premiers rois : Mérovingiens et Carolingiens partageaient leur royaume entre leurs fils, n'hésitant pas à diviser le royaume des Francs en plusieurs petits royaumes. C'est d'une de ces divisions, en 843, que la Francie occidentale, c'est-à-dire la France actuelle, est issue. Il faut en fait attendre les Capétiens pour voir s'affirmer le principe selon lequel un seul fils succède à la royauté et récupère l'essentiel de l'héritage. Les cadets peuvent obtenir un domaine plus modeste, *l'apanage**, mais ils sont exclus de la royauté. Cette situation d'exclusion pouvait les amener à comploter contre l'héritier légitime, afin d'obtenir la maîtrise du royaume.

De 482 à 1316 : une exclusion des femmes non théorisée

Les Mérovingiens et les Carolingiens ne précisèrent jamais que les femmes ne pouvaient pas régner. Mais en réalité les fils succédaient à leur père et étaient concernés par le partage du royaume : ils devaient imposer leur pouvoir militairement face à leurs frères, en véritables chefs de guerre. Disposant souvent de nombreuses épouses, les premiers rois eurent tous au moins un fils pour leur succéder. Dans le cas contraire, les *grands*** pouvaient proposer un candidat : ils choisirent toujours des hommes ; le roi était avant tout un chef de guerre.

Dans un premier temps, les rois capétiens trouvèrent toujours un fils pour leur succéder, du moins jusqu'en 1316. Les filles n'étaient donc pas encore entièrement exclues, mais tant qu'un garçon pouvait succéder, il était prioritaire (c'était le cas aussi en Angleterre).

La loi salique : une imposture !

Après 1316, et surtout 1328, la situation changea. En l'absence de fils, il fallut choisir entre une succession directe par les femmes et une succession revenant à des hommes moins directement situés dans l'ordre d'héritage. Cette dernière solution l'emporta : on avait pris l'habitude d'une succession par les hommes, et surtout cela per-

mettait de rejeter, en 1328, la candidature du roi
d'Angleterre. Ce dernier était un héritier plus
direct que Philippe VI de Valois, mais il l'était
par les femmes. On justifia après coup ces choix
par la « loi salique », loi franque datant de Clovis qui
recommandait de ne pas faire hériter les femmes de
certaines terres, mais que l'on déforma pour
exclure les femmes de la succession monarchique.

Une couronne machiste ?

Désormais exclues de la succession, les femmes
ne pouvaient pas non plus transmettre le droit à
régner. Mais cela ne les a pas empêchées de jouer
un rôle dans l'histoire de la monarchie : elles pouvaient participer à la *régence** et au gouvernement
lorsque le roi en était incapable, pendant son
enfance ou ses absences. La reine, en tant qu'é-
pouse du roi, pouvait influer sur sa politique.
Ainsi Clotilde, femme de Clovis, le poussa à se
convertir au christianisme. Il ne faut pas non
plus oublier les maîtresses des rois, qui purent
également jouer un rôle important. Ce fut le cas
de la Pompadour, qui inspira la diplomatie de
Louis XV. Mais la royauté était bien l'affaire des
hommes seuls.

II. Le sacre

Le lien étroit entre Dieu et le roi se manifeste par la cérémonie du sacre, cérémonie qui confère au roi un caractère divin, le rapprochant du statut des hommes d'Église. Le sacre ne fait pas le roi mais accroît sa légitimité d'une dimension religieuse.

Plus de mille ans de sacres

Le premier sacre fut celui de Pépin le Bref, premier roi carolingien, en 751, qui assurait ainsi une légitimité à son règne. Les Capétiens prirent l'habitude de faire sacrer leur fils aîné durant leur règne : ils étaient ainsi sûrs de leur transmettre la couronne. Mais à partir de Louis VI, en 1223, la dynastie est assez solidement établie pour que les rois soient désormais sacrés après la mort de leur prédécesseur. Charles X fut le dernier roi à se faire sacrer, sous la *Restauration**, en 1825. Autant dire que la cérémonie fut jugée comme réactionnaire et dépassée.

Les villes du sacre

Jusqu'au XIIᵉ siècle, le sacre pouvait avoir lieu à Saint-Denis ou à Sens, bien que l'on préférât déjà Reims, où Clovis avait été baptisé. Par la suite, tous les rois sont sacrés à Reims, sauf Louis VI, sacré à Orléans, et Henri IV, à Chartres. Les villes des sacres sont toutes d'importants centres religieux : Saint-Denis abrite une prestigieuse abbaye ; Reims, Sens, Orléans et Chartres disposent d'une cathédrale. Ce sont également des villes liées aux rois de France par leur histoire.

Une cérémonie célébrant le caractère divin de la monarchie

Le rituel du sacre fut fixé entre le XIIIe et le XIVe siècle. Selon ce rituel, le roi parvient à la cathédrale de Reims en même temps que la sainte ampoule, qui contient une huile censée ne jamais s'altérer depuis que le Saint-Esprit, sous forme de colombe, l'aurait apportée lors du baptême de Clovis. Arrivé dans la cathédrale, le roi prête serment de protéger l'Église et le royaume. Le roi est entouré par 12 « pairs de France ». Ce terme désigne les grands person-nages du royaume : 6 ecclésiastiques et 6 seigneurs laïcs, symbolisant les 12 preux qui accompagnaient Charlemagne. L'archevêque de Reims lui remet alors l'épée, qui lui permettra de rendre justice, et le duc de Bourgogne les éperons d'or, qui symbolisent l'appartenance du roi à la chevalerie.

L'onction : le roi enduit d'huile

Alors a lieu l'onction : l'archevêque prend avec une aiguille d'or un peu de l'huile de la sainte ampoule, ajoute le chrême (huile utilisée pour le sacre des évêques) et oint – c'est-à-dire enduit – le roi sur la poitrine, le dos, les épaules, les bras et les mains, comme un religieux lorsqu'il est consacré.

La remise des attributs et la fin du sacre

On remet ensuite au monarque les attributs royaux (tunique et manteau, anneau en signe d'union avec l'Église, sceptre et main de justice), puis la couronne, dont il est ceint après bénédiction, par l'archevêque. Le roi est assis sur le trône, porté par les douze pairs de France.

L'archevêque, qui a présidé toute la cérémonie, déclare :

« Que Dieu vous affermisse sur ce trône et que Jésus-Christ Notre Seigneur, roi des rois et seigneur des seigneurs, vous fasse régner avec Lui dans son royaume éternel. »

Il manifeste ensuite sa soumission au roi, crie « *vivat rex in æternum* », c'est-à-dire « vive le roi pour l'éternité », expression reprise par la foule. Puis vient la messe.

Après le sacre, la fête continue...

La cérémonie est suivie d'un grand banquet, au cours duquel le roi manifeste sa générosité, et distribue nourriture et argent. La suite est moins joyeuse : il doit se livrer à ce qu'on appelle « le toucher des écrouelles », les écrouelles étant des abcès de la peau qui affectent les gens atteints d'adénite tuberculeuse. Le roi doit toucher ces abcès en déclarant : « Le roi te touche, Dieu te guérit. » Les malades espèrent recevoir la guérison, qui manifeste ainsi la puissance divine du roi. Tous les rois sacrés doivent accomplir ce rituel : Louis XVI touche ainsi deux mille quatre cents malades !

III. Des rois très chrétiens

Les rois n'ont pas fait l'objet d'un culte, comme ce fut le cas des pharaons ou des empereurs romains. Mais ils ont su s'appuyer sur la dimension symbolique du pouvoir : par le sacre, par leurs liens étroits avec la religion chrétienne et l'Église, par le recours à des symboles qui permettaient de les distinguer du commun des mortels.

Le baptême de Clovis, à la Noël 496 ou 498 (la date exacte est inconnue), est le point de départ d'une association profonde entre catholicisme et royauté. Plus tard, Charlemagne se fait le défenseur du pape, menacé par l'invasion du peuple lombard. Louis IX, qui se distingue par sa piété ainsi que par l'organisation de deux croisades, est proclamé saint vingt-sept ans après sa mort, en 1297. C'est au XIIIᵉ siècle que le titre de « Très-Chrétien », désignant au départ tout le royaume de France, est attribué aux seuls rois ! C'est à ce titre que le roi peut aussi exclure ou persécuter des non-catholiques : les *cathares** et les *albigeois**, les juifs, expulsés à de nombreuses reprises, puis les protestants lors des guerres de Religion. Il est également lourd à porter pour certains rois, tel Louis XV, qui ne se confesse plus et ne communie plus pour ne pas avoir à dévoiler ses intrigues amoureuses... Cela contribuera à ruiner la légitimité de la monarchie.

IV. Les symboles de la monarchie

Le roi devait être identifié immédiatement lors des cérémonies, dans la vie quotidienne ou sur les représentations que l'on faisait de lui, par exemple les tableaux. C'était la fonction des symboles monarchiques, que l'on appelle les *regalia*. Voici leur signification :

La fleur de lys : symbole de pureté associé à la Vierge, elle apparaît au XIIe siècle sur les armoiries royales ; la Vierge était la protectrice des rois, et le roi, tout comme Marie, était un protecteur et un médiateur entre Dieu et les hommes. Devenue le symbole de la famille royale, la fleur de lys est présente sur le manteau du sacre, en un semis, et sur les blasons avec trois fleurs sur fond d'azur.

La couronne : coiffure symbolique de la royauté, c'est au Moyen Âge une couronne ouverte, qui se distingue de celle des empereurs d'Allemagne, fermée, signifiant la domination sur le monde entier. À la base de la couronne est placé un serre-tête orné de fleurs de lys. À partir du XVIe siècle apparaît une couronne fermée, signe de l'ambition des rois. La même couronne est souvent conservée d'un sacre à l'autre : c'est le cas de la couronne dite de « Saint Louis », que l'on emploie à partir du XIVe siècle. Mais les rois disposent également de nombreuses couronnes utilisées pour des occasions moins prestigieuses ; c'étaient des bijoux comme les autres, que l'on revendait en cas de besoin.

Le sceptre : ce long bâton de commandement, apparu dès le IXe siècle et tenu par le roi dans la main droite durant le sacre et les grandes cérémonies rappelle le bâton de berger de David, roi de l'Ancien Testament, et la crosse tenue par les évêques. Il symbolise ainsi la puissance du roi.

La main de justice : ce bâton de bois surmonté d'une main d'ivoire avec trois doigts ouverts, renvoyant à la Trinité divine est une variante du sceptre que le roi tient dans sa main droite lors du sacre et des grandes cérémonies. Son usage remonte sans doute au XIIIe siècle.

L'épée « Joyeuse » : également appelée « épée de Charlemagne », bien qu'elle date des Capétiens, elle est utilisée lors du sacre, à la fin du Moyen Âge, pour rappeler que le roi est le défenseur de l'Église. Le fait d'assimiler cette épée à celle de Charlemagne permet également de revendiquer une continuité dynastique entre les familles carolingienne et capétienne.

Les éperons d'or : ils sont remis au roi lors du sacre, à la fin du Moyen Âge. Symboles de la chevalerie, puisque tout chevalier est censé en posséder, ils rappellent au roi qu'il est lui aussi un chevalier et doit se comporter comme tel.

V. La cour du roi

Pour exercer leur pouvoir, comme pour vivre au quotidien, les rois de France furent toujours entourés : c'est cet entourage que l'on appelle la Cour, même si progressivement ce terme désigna également le lieu de vie du roi et de tous ceux qui résidaient à ses côtés, les courtisans.

Les origines de la Cour

Dès les Mérovingiens, les rois cherchèrent à attirer auprès d'eux l'aristocratie provinciale. Mais après Dagobert Ier, l'attrait de cette cour devint très faible, les rois n'exerçant plus réellement de pouvoir.

On commence à voir réapparaître une cour

pour les Carolingiens, puis pour les Capétiens. La Cour est alors nomade, accompagnant le roi dans ses déplacements. Elle est constituée de tous ceux qui permettent au roi de vivre au quotidien et lui apportent aide et conseil pour diriger le royaume. La Cour est à la fois un lieu de vie et de pouvoir. On y trouve des domestiques, des vassaux qui conseillent le roi, mais aussi de grands *officiers**, aux fonctions à la fois domestiques et politiques : le chancelier, qui rédige les textes au nom du roi, le chapelain, qui organise la vie religieuse de la Cour, ou encore le *connétable**, à l'origine chargé des écuries, mais devenu rapidement le chef des armées.

La séparation de la vie privée et de la vie publique

À partir du XIIIᵉ siècle, les fonctions administratives de la cour sont exercées par des institutions autonomes, qui n'accompagnent pas nécessairement le roi en permanence : le *Parlement** pour la justice ou encore la Chambre des comptes pour les finances. La cour, au sens de ceux qui entourent le roi au quotidien, se réduit alors à l'Hôtel du roi. C'est là l'ancêtre de la cour des rois postérieurs. Mais on est encore très loin des splendeurs de Versailles. La Cour du roi ressemble beaucoup à celle d'autres grands seigneurs. C'est en fait la cour du duc de Bourgogne qui est alors considérée comme la plus splendide !

La Cour, de la Renaissance à Louis XIII

C'est au XVIe siècle, sous l'influence des cours italiennes, que la cour de France prend une véritable ampleur et devient le lieu de mise en scène de la puissance du roi. Progressivement, un code de bonnes manières s'établit, que l'on appelle l'étiquette de cour. Le courtisan doit la respecter pour être bien vu. Désormais, la cour de France devient la plus grandiose et permet au roi de s'assurer de la docilité des nobles. Ces derniers doivent venir vivre auprès de lui pour obtenir des bienfaits : des pensions, des dons, de bonnes places dans l'armée ou l'administration, ou encore un bon mariage pour leurs enfants. Au XVIe siècle, la Cour est toujours nomade, bien que centrée sur la vallée de la Loire, ce dont attestent encore de nombreux châteaux. Elle peut compter jusqu'à 10 000 personnes et abrite de nombreux artistes qui célèbrent la grandeur et le bon goût du roi :

François Ier ramène ainsi Léonard de Vinci de ses campagnes d'Italie et l'installe à Amboise.

Louis XIV ou l'apogée de la Cour

C'est cependant à Louis XIV que l'on doit l'apogée de la Cour. Afin de s'assurer de la fidélité de la noblesse et de permettre ainsi à la monarchie de diriger le pays sans partage, Louis XIV fait construire Versailles : il s'agit d'ériger un monument à la gloire du Roi-Soleil, mais aussi de mettre en scène la toute-puissance du roi dans sa vie quotidienne, en un spectacle que tous les nobles du royaume doivent pouvoir contempler. Certes, la Cour n'est pas réputée pour sa propreté : on préfère se parfumer plutôt que de se laver. Mais son raffinement est alors considéré en Europe comme ce qui se fait de mieux…

Versailles : un ancien relais de chasse !

Louis XIII avait aménagé à Versailles un petit logis pour la chasse. Louis XIV choisit d'y bâtir un nouveau palais à sa mesure : les travaux commencent en 1661 mais durent en réalité jusqu'à la mort du roi, et même au-delà. Le Nôtre est chargé d'y dessiner les jardins. Les bâtiments sont réalisés par l'architecte Le Vau, puis par Hardouin-Mansart (de 1678 à 1708), qui réalise notamment le Trianon et la galerie des Glaces. La décoration est l'œuvre de Le Brun. C'est en 1682 que s'installent toute la Cour ainsi que les ministères. Tout le pouvoir est alors à Versailles. Paris est déclassée. Désormais, la journée est réglée par les activités du roi, de son lever à son coucher, en passant par les repas, et chacun cherche à se trouver au plus près du souverain pour profiter de ses bienfaits.

Le déclin de la Cour au XVIIIᵉ siècle

Louis XV cherche davantage d'intimité : il la trouve dans les petits soupers et dans des escapades vers d'autres résidences. Tout cela n'encourage pas les courtisans à se presser à Versailles. Puis Marie-Antoinette ne joue pas non plus le jeu de la Cour : à Versailles, elle fréquente le Petit Trianon, logis plus privé où elle ne reçoit que ses proches, ce qui lui vaut une réputation sulfureuse. Mais le cérémonial existe toujours, et les dépenses paraissent de plus en plus insupportables, en raison des difficultés financières du royaume.

C'est désormais Paris qui donne le ton en

matière de goût : les grandes figures de la littérature des Lumières sont reçues dans les salons des hôtels particuliers. Désormais, Versailles incarne une Cour pompeuse, délaissée par la reine et critiquée par la bourgeoisie qui n'y voit qu'un lieu d'intrigues, de débauche et de dépenses inutiles. La crise que connaît la Cour affecte très fortement l'image de la monarchie.

Au cours des siècles, l'exercice du pouvoir royal a donc évolué, surtout dans le sens d'un renforcement de son autorité. Pourtant, dans la symbolique, les rois ont toujours cherché à présenter leurs règnes successifs comme les chapitres d'une seule et même grande histoire, celle de la royauté.

Les Mérovingiens

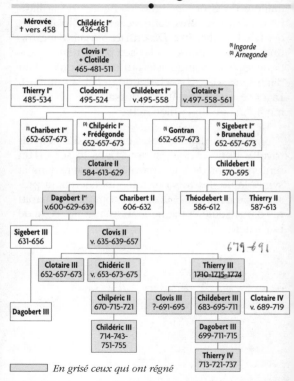

Mérovée † vers 458	**Childéric Ier** 436-481

[1] *Ingorde*
[2] *Arnegonde*

Clovis Ier + Clotilde 465-481-511

Thierry Ier 485-534 — **Clodomir** 495-524 — **Childebert Ier** v.495-558 — **Clotaire Ier** v.497-558-561

[1] **Charibert Ier** 652-657-673 — [2] **Chilpéric Ier** + Frédégonde 652-657-673 — [1] **Gontran** 652-657-673 — [1] **Sigebert Ier** + Brunehaud 652-657-673

Clotaire II 584-613-629 — **Charibert II** 606-632 — **Childebert II** 570-595

Dagobert Ier v.600-629-639 — **Théodebert II** 586-612 — **Thierry II** 587-613

Sigebert III 631-656 — **Clovis II** v. 635-639-657

Clotaire III 652-657-673 — **Childéric II** v. 653-673-675 — **Thierry III** 1710-1715-1774

679-691

Dagobert III

Chilpéric II 670-715-721 — **Clovis III** ?-691-695 — **Childebert III** 683-695-711 — **Clotaire IV** v. 689-719

Childéric III 714-743-751-755 — **Dagobert III** 699-711-715

Thierry IV 713-721-737

En grisé ceux qui ont régné

DEUXIÈME PARTIE

LES SOIXANTE-CINQ ROIS QUI ONT FAIT LA FRANCE

Les Mérovingiens

•

Première dynastie régnant sur la France, les Mérovingiens tirent leur nom d'un ancêtre à moitié légendaire, Mérovée, qui aurait régné au milieu du Ve siècle sur les Francs saliens. Ceux-ci, installés dans le Nord de la Gaule forment le groupe le plus important parmi les Francs, peuple germanique à la langue proche de l'actuel néerlandais. Ils ont été engagés par les Romains pour garder la frontière, de sorte que le titre de roi est au départ un titre accordé par Rome au général de cette armée barbare. C'est seulement avec Clovis (481-511) que cette dynastie règne réellement sur l'ensemble de la France actuelle.

Plusieurs rois pour un royaume !

Mais la coutume franque exige un partage équitable entre les héritiers. Le royaume se trouve donc fréquemment morcelé. Progressivement, trois royaumes principaux apparaissent : la *Neustrie** au nord-ouest, l'*Austrasie** au nord-est, et la *Bourgogne** au sud-est. Chacun des rois ne rêvant que de réunifier l'ensemble de la Gaule, les guerres et les complots déchirent les Mérovingiens.

CLOVIS Iᵉʳ (465-511)

Roi des Francs (481-511)

Épouse : Clotilde (475-547)

Lorsque Clovis succède à son père Childéric, il ne règne que sur un territoire réduit au nord de la Gaule, dont la capitale est Tournai, et ne dirige que les Francs saliens. C'est par le fer et le sang qu'il va unifier la Gaule et les Francs. En 486, il bat le général romain Syagrius, qui contrôlait le Nord de la Gaule, et prend Soissons. Puis il affronte et bat les autres peuples germaniques présents sur le sol gaulois : les Alamans à l'est, vaincus à Tolbiac, les Wisigoths en Aquitaine, écrasés en 507 à Vouillé. Parallèlement, il fait assassiner systématiquement les autres rois francs, ainsi que leurs parents, pour devenir le seul roi des Francs !

Le baptême de Clovis

C'est cependant par sa conversion au christianisme que Clovis parvient à donner une nouvelle dimension à son pouvoir. En 496 ou 498, il est baptisé à Reims par l'évêque Rémi, en compagnie de centaines de chefs francs. Premier roi barbare catholique, il bénéficie désormais du soutien de l'Église et des habitants du royaume, déjà en grande partie convertis. Sa femme, Clotilde, fille du roi des Burgondes et fervente catholique (elle fut canonisée après sa mort), a été l'un des artisans de cette conversion qui apporte une légitimité de droit divin à la dynastie royale.

Á sa mort, le royaume se trouve divisé entre ses fils, qui reçoivent chacun un royaume centré sur une capitale : Thierry à Reims, Clodomir à Orléans, Childebert à Paris et Clotaire à Reims.

« Souviens-toi du vase de Soissons ! »

Lors de la prise de Soissons, les églises furent pillées. On raconte que lors du partage du butin, Clovis souhaita récupérer un superbe vase pour le rendre à l'évêque et ainsi conserver le soutien de l'Église. Mais un Franc, refusant que ce beau lot ne soit pas partagé entre les guerriers selon la coutume, brisa le vase de son épée. Plus d'un an après, alors que Clovis passait ses troupes en revue, il aperçut ce guerrier, dont il fit tomber la francisque, sorte de hache de guerre. Alors que ce dernier la ramassait, il lui brisa la tête en lançant : « Souviens-toi du vase de Soissons ! »

CLOTAIRE Ier (V. 497-561)

Roi de Soissons (511-561), **Roi de Reims** (555-561),
Roi des Francs (558-561)
Épouses : Ingonde, Arégonde, Gontheuque, Radegonde,
Chunsène et Vultrade

Il est le dernier fils de Clovis et reçoit un territoire centré sur le Nord, entre Tournai et Soissons.
Mais il parvient à réunifier le royaume : il obtient en
524 le royaume d'Orléans en épousant Gontheuque,
la veuve du roi Clodomir (ce dernier ayant été
assassiné par les Burgondes), puis conquiert une
partie de la Bourgogne avec son frère Childebert et
son neveu Thibert Ier. Il hérite en 555 de l'Austrasie
à la mort du fils de Thibert et en 558 de la région
de Paris lorsque décède Childebert, sans héritier. Il
unifie ainsi pour trois ans le royaume, mais le partage à son tour entre ses fils : Paris à Caribert Ier,
Orléans et la Bourgogne à Gontran, l'Austrasie à
Sigebert, la *Neustrie** et Soissons à Chilpéric Ier.
Aucun d'eux ne réunifiera le royaume, qui est alors
livré à une guerre continue.

Des rois polygames ?

Les Mérovingiens eurent souvent de nombreuses épouses.

Très fréquemment, elles se succédaient dans le lit du roi : elles mouraient souvent jeunes, notamment lors des accouchements. Le roi pouvait également parfois les répudier, les rejeter, en raison d'une incompatibilité d'humeur, mais aussi pour des considérations politiques : un nouveau mariage permettait de renforcer des liens diplomatiques avec d'autres pays. Il arrivait aussi que les rois aient en même temps une épouse officielle et des épouses de second rang, dont les enfants étaient considérés comme légitimes. Les rois francs avaient également parfois des maîtresses plus occasionnelles.

CLOTAIRE II (584-629)

Roi de Neustrie (584-613), puis **roi des Francs** (613-629)

Épouses : Adaltrude, Bertrude et Sichilde

Fils de Chipéric Ier et de Frédégonde, il est roi de *Neustrie**à l'âge de 4 mois, lorsque son père est assassiné. Sa mère gouverne à sa place jusqu'à sa mort en 597. Il est battu en 604 par son cousin Théodebert II, roi d'Austrasie, qui est alors sous la coupe de sa grand-mère Brunehaut. Il perd alors presque tout son territoire. Mais en 613 il parvient à s'allier à ceux qui, en Austrasie, sont hostiles à Brunehaut qu'il vainc et fait mettre à mort, réunifiant ainsi le royaume des Francs.

Mais, pour satisfaire les Austrasiens, il place à leur tête son fils Dagobert en 623.

DAGOBERT Ier (V.600-639)

Roi d'Austrasie en 623, puis **roi des Francs** (629-639)

Épouses : Gomatrude, Ragnétrude, Nantilde, Vulfégonde et Berthilde

Dernier grand roi mérovingien, il est le fils aîné de Clotaire II et de Bertrude. Roi d'Austrasie dès 623, il y est appuyé par le *maire du palais** Pépin de Landen, ancêtre des Carolingiens. Il hérite de son père la *Neustrie** et la Bourgogne en 629, et réunit ainsi l'essentiel du royaume des Francs, qu'il gouverne depuis Paris, sa capitale. Le royaume unifié lui donne les moyens d'une politique extérieure ambitieuse : il intervient dans les conflits internes au royaume espagnol des Wisigoths, combat les Basques, les Bretons et les Lombards, assurant l'autorité franque.

Le bon roi Dagobert, le bon saint Éloi et les autres...

C'est grâce à l'appui de plusieurs conseillers que Dagobert parvient à assurer l'unité du monde franc : l'évêque de Rouen, saint Ouen, qui se charge de la rédaction des actes et textes royaux, en tant que référendaire ; l'évêque de Cahors, saint Didier ; ou encore saint Éloi, ancien orfèvre devenu son trésorier, qui le conseille également en matière de monnaies et de diplomatie, et qui devient par la suite évêque de Noyon. Grâce à cet entourage, il échappe à la tutelle du *maire du palais** et mène une politique d'affirmation de l'autorité royale, tout en développant les échanges commerciaux avec l'étranger.

La mort de Dagobert

Vouant un culte à saint Denis, Dagobert offrit d'immenses richesses à l'abbaye qui lui était consacrée, près de Paris, et s'y fit enterrer, instaurant des liens très étroits entre ce monastère et la royauté. Ayant transmis l'Austrasie à son fils Sigebert III dès 634, il donne à sa mort la *Neustrie** et la Bourgogne à Clovis II, son autre fils.

« Le bon roi Dagobert » mettait-il sa culotte à l'envers ?

Contrairement à ce qu'affirme la chanson bien connue, Dagobert ne portait pas de culotte, vêtement aristocratique apparu au XVIIIe siècle. Ces paroles datent en réalité de 1787 : en évoquant Dagobert, les auteurs se moquaient en fait de Louis XVI, connu pour sa distraction. Ridiculiser un roi lointain était un moyen de se placer hors de portée de la censure. Mais pour la postérité, ce fut ce pauvre Dagobert qui demeura le roi mal culotté...

CLOVIS II DIT LE FAINÉANT (V. 635-657)

Roi de Neustrie et de Bourgogne (639-657),
roi d'Austrasie (656-657)
Épouse : Bathilde

Fils de Dagobert Ier, il est roi de *Neustrie** et de *Bourgogne** à l'âge de 4 ans. Sa mère Nantechilde gouverne avec les *maires du palais** Aega puis Erchinoald. Ne régnant jamais réellement de toute son autorité, il reçut, sous les Carolingiens, ce surnom de « fainéant », signe du déclin de la dynastie mérovingienne.

CLOTAIRE III (652-673)

Roi de Neustrie et de Bourgogne (657-673)

Il règne à l'âge de 5 ans, à la mort de son père Clovis II. Trop jeune, il est sous la tutelle de sa mère Bathilde, avant que l'autorité ne soit en fait confisquée par le *maire du palais** Ebroïn.

CHILDÉRIC II (V. 653-675)

Roi d'Austrasie (662-675), puis **roi des Francs** (673-675)

Épouse : Bilichilde

Il est le deuxième fils de Clovis II. En 662, il devient roi d'*Austrasie** après le meurtre de Childebert l'Adopté et de son père Grimoald, *maire du palais** d'*Austrasie**. Le *Pippinide** Grimoald avait essayé de faire régner sur le trône d'*Austrasie** son fils Childebert, de 656 à 662, en le faisant adopter par Sigebert III, le frère de Clovis II. Cette première tentative de dépossession des Mérovingiens par les Pippinides tourne court. Mais en réalité, Childéric II ne dirige guère le royaume, qui est entre les mains de Himmechilde, veuve de Sigebert III, puis du *maire du palais** Wulfoad. Il meurt assassiné avec son épouse lors d'une chasse près de Rouen, dans la forêt de Brotonne.

THIERRY III (654-695)

Roi de Neustrie (673 puis 675-691), **roi des Francs** (679-691)

Épouse : Clotilde

Troisième fils de Clovis II, il est d'abord écarté du trône. Il sera toute sa vie un jouet entre les mains des divers maires du palais. En 673, le *maire du palais**Ebroïn*, qui n'appartient pas à la famille des *Pippinides**, le place sur le trône de *Neustrie**, mais il est tout de suite renversé par son frère Childéric II. Enfermé à Saint-Denis, il en ressort à la mort de Childéric II et devient roi de Neustrie sous la tutelle d'Ebroïn.

Une guerre civile entre les maires du palais

En 679, le roi d'*Austrasie** Dagobert II, fils de Sigebert III, meurt, et Thierry III réunit l'ensemble du royaume des Francs. Mais les maires du palais complotent les uns contre les autres. En 680, Ebroïn, *maire du palais** de Neustrie est assassiné, puis les Francs de Neustrie, sont écrasés en 687 à Tertry par les troupes de Pépin de Herstal (640-715). Ce dernier, dit le Jeune, est *maire du palais** d'Austrasie et petit-fils de Pépin de Landen. Il réunit dès lors le gouvernement de tous les royaumes mais conserve Thierry III comme roi sans réel pouvoir. Désormais, l'unité du royaume évite les guerres entre rois francs : ce sont les maires du palais qui se chargent d'organiser la succession, mais au sein de la famille mérovingienne.

CLOVIS III (?-695)

Roi des Francs (691-695)

Épouse : Tanaquille

Fils de Thierry III et de Clotilde, il ne possède aucun pouvoir réel. Pépin de Herstal, *maire du palais**, continue de diriger le pays, comme à la fin du règne de Thierry III. Clovis III meurt sans descendance.

CHILDEBERT III (683-711)

Roi des Francs (695-711)

Épouse : Édonne

Fils de Thierry III et de Clotilde, et frère de Clovis III, il demeure sous la tutelle du *maire du palais** Pépin de Herstal et ne gouverne pas. Les *Pippinides** s'installent définitivement au pouvoir.

DAGOBERT III (699-715)

Roi des Francs (711-715)

Succédant très jeune à son père Childebert III, à l'âge de 12 ans, il demeure sous l'emprise de Pépin de Herstal, *maire du palais**. Ce dernier, décédé en 714, a ainsi dirigé le royaume sous quatre rois mérovingiens successifs ! Dagobert III meurt l'année suivante à l'âge de 16 ans et sans héritier. Il n'a donc pas le temps de régner ni de s'imposer.

CHILPÉRIC II (670-721)

Roi des Francs (715-721)
Épouse inconnue

Les Francs ont enfin avec lui un roi adulte : âgé de 45 ans, Chilpéric II est le fils du roi des Francs Childéric II et de Bilichilde. Mais il est lui aussi sous la coupe des *maires du palais**. C'est le fils de Pépin le Jeune, Charles Martel, lui aussi maire du palais, qui le fait sortir du monastère où on l'avait relégué et lui permet de devenir roi en 715. Ce « protecteur » essaie d'ailleurs de le faire remplacer par un autre roi qu'il pense plus docile, Clotaire IV, fils de Thierry III. La manœuvre échoue, Chilpéric II est conservé comme roi jusqu'à sa mort en 721. Mais il n'a en fait jamais vraiment régné. Peut-être en raison d'une jeunesse au monastère, on ne lui connaît ni épouse ni enfants.

THIERRY IV (713-737)
Roi des Francs (721-737)
Épouse : Chrotrudis

Parvenu lui aussi très jeune au pouvoir, ce roi a été lui aussi tiré d'un monastère, l'abbaye de Chelles, par le *maire du palais** Charles Martel (688-741), fils de Pépin de Herstal. Charles Martel gouverne au nom du roi et porte le titre de duc et prince des Francs.

À la mort de Thierry IV, le maire du palais n'ose pas néanmoins se faire déjà sacrer roi mais continue à gouverner le royaume seul, sans roi, en tant que duc et prince des Francs : il n'y a alors pas de roi de France !

À la mort de Charles, ses deux fils, Pépin le Bref et Carloman, conservent le pouvoir, et font enfermer leur demi-frère Grifon dans une forteresse. Mieux vaut partager à deux qu'à trois !

Charles Martel a-t-il vraiment arrêté les Arabes à Poitiers ?

Charles Martel tire son surnom de ses qualités de chef de guerre. Sachant frapper fort et surtout habile stratège, il s'impose par les armes face à ses rivaux au sein du royaume franc, puis contre les Saxons et surtout les musulmans. Ces derniers ont conquis l'Espagne en 711 et mènent des raids dans le Sud de la France. C'est à Poitiers, en 732, que Charles Martel remporte sur eux une bataille décisive. Mais il n'a pas « arrêté les Arabes à Poitiers » : beaucoup de musulmans étaient en fait des Berbères, peuple d'Afrique du Nord antérieur aux migrations arabes. En outre, les raids se poursuivirent dans les années suivantes.

CHILDÉRIC III (714-755)

Roi des Francs (743-751)
Épouse : Gisèle

Voici le dernier roi mérovingien. Une fois de plus, le *maire du palais**, en l'occurrence Pépin le Bref, le sort d'un monastère où il avait été relégué. Les rois mérovingiens paraissent désormais de plus en plus inutiles : on s'est même passé d'eux pendant six ans... Pépin décide donc de passer à l'action, et de devenir roi à la place du roi.

En 751, il se fait reconnaître roi des Francs : il en profite pour se faire sacrer, pour la première fois dans l'histoire de France.

Le malheureux Childéric III est quant à lui reconduit au monastère, où il meurt peu après.

Véritable coup d'État, mais patiemment préparé, le changement de dynastie est le premier de l'histoire monarchique. Pépin a été soutenu par le pape Zacharie, auquel il a promis une protection militaire contre le peuple lombard qui menace Rome.

Zacharie a cautionné le changement dynastique en affirmant que c'est celui qui règne qui doit être roi. Rien de plus logique, si l'on oublie que les *Pippinides** ont tout fait pour empêcher les Mérovingiens de régner réellement...

Les Mérovingiens : des « rois fainéants » ?

Les Mérovingiens doivent le qualificatif de rois « fainéants » à leurs successeurs, les Carolingiens.

Ces derniers avaient d'abord travaillé au service des Mérovingiens : occupant la fonction de *maire du palais**, ils dirigeaient l'administration mais confisquèrent progressivement le pouvoir à partir du VIIᵉ siècle. Une fois qu'ils eurent réussi à remplacer les Mérovingiens, ils inventèrent la légende de « rois fainéants », trop paresseux pour régner, afin de justifier le changement de dynastie !

Les reines mérovingiennes

Belle-fille de Clovis et femme du roi Clotaire Ier, Radegonde consacre sa vie à accueillir les pauvres et à soigner les malades. En conflit avec son mari qu'elle avait épousé contrainte et forcée, elle ose résister et se retire dans un monastère consacré à la Vierge à Poitiers. A son image, de nombreuses princesses mérovingiennes participent à l'essor du christianisme comme la reine Bathilde, femme de Clovis II et première abbesse du monastère de Chelles.

Les Carolingiens ou Pippinides

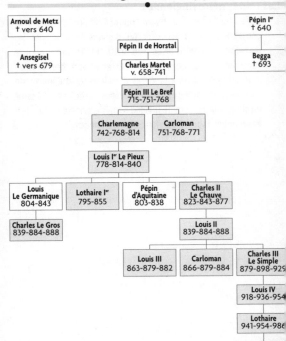

Arnoul de Metz
† vers 640

Ansegisel
† vers 679

Pépin I⁴ʳ
† 640

Begga
† 693

Pépin II de Horstal

Charles Martel
v. 658-741

Pépin III Le Bref
715-751-768

Charlemagne
742-768-814

Carloman
751-768-771

Louis I⁴ʳ Le Pieux
778-814-840

Louis Le Germanique
804-843

Lothaire I⁴ʳ
795-855

Pépin d'Aquitaine
803-838

Charles II Le Chauve
823-843-877

Charles Le Gros
839-884-888

Louis II
839-884-888

Louis III
863-879-882

Carloman
866-879-884

Charles III Le Simple
879-898-929

Louis IV
918-936-954

Lothaire
941-954-986

Louis V dit Le Fainéan
967-986-98

En grisé ceux qui ont régné

Les Carolingiens et les Robertiens

●

Les Pippinides, ancêtres des Capétiens

Avec Pépin le Bref, en 751, une nouvelle dynastie arrive au pouvoir : les Carolingiens. Ils tirent leur nom de l'empereur Charlemagne, membre le plus illustre de la lignée.

Tout d'abord appelés *Pippinides**, car ils descendent de Pépin de Landen (580-640), ils sont une des familles franques les plus riches et accaparent sous les Mérovingiens le poste de *maire du palais**, grâce auquel ils contrôlent la politique des derniers Mérovingiens. Pépin de Herstal, dit le Jeune, petit-fils de Pépin de Landen, dit l'Ancien, gouverne sous quatre rois successifs. Lui succède son fils Charles Martel, sous Thierry IV, qui accroît encore le prestige de la famille.

Les Carolingiens : de la royauté à l'Empire

À partir de Pépin le Bref, fils de Charles Martel, les Pippinides se font reconnaître rois des Francs. Grâce au soutien du pape et à leur prestige, ils donnent à la monarchie un nouveau souffle, qui se traduit par une politique de conquêtes, vers l'Allemagne, l'Italie et la Catalogne. C'est sous Charlemagne que cette expansion est la plus forte : elle lui permet de se faire reconnaître et sacrer empereur en l'an 800.

L'Occident redécouvre alors, après plus de trois siècles d'absence, le régime impérial. Cette puissance permet également aux Carolingiens d'encourager la création artistique, au point qu'on parle de « renaissance carolingienne ». L'État connaît également un certain nombre de réformes afin de contrôler ce vaste empire.

Les Robertiens, nouveaux prétendants à la couronne

Mais cet essor sera bref. Dès le IXe siècle, les Carolingiens sont en perte de vitesse : comme les Mérovingiens, ils n'ont pas pu régler la question des successions et partagent leur royaume entre les descendants. Cela entraîne une fois de plus la formation de plusieurs royaumes qui entrent en conflit pour rétablir l'unité.

Mais à ces difficultés s'ajoute l'arrivée de nouvelles invasions, notamment celle des Vikings, qui attaquent tout le Nord du royaume, sans que les Carolingiens parviennent à protéger leurs sujets.

C'est dans ce contexte que plusieurs grands seigneurs, pourtant au service des Carolingiens, gagnent en autonomie et se constituent de véritables petites principautés.

Parmi eux, les *Robertiens**, famille franque installée en Île-de-France, s'illustrent dans la lutte contre les Vikings et parviennent même à se faire désigner comme rois à plusieurs reprises, mais de manière éphémère, au Xe siècle. Ce sont les ancêtres des Capétiens.

C'est l'élection de l'un d'eux, Hugues Capet, qui met définitivement fin au règne des Carolingiens en 987.

PÉPIN LE BREF (715-768)

Maire du palais (741-751), puis **roi des Francs** (751-768)

Épouse : Berthe au grand pied

Il est le second fils de Charles Martel et lui succède comme *maire du palais** en 741. Il partage alors le pouvoir avec son frère Carloman, sans qu'aucun roi mérovingien ne règne. Mais en 743 les deux frères rétablissent un roi, Childebert III, face aux contestations des partisans des Mérovingiens. En 747, Carloman est forcé de renoncer au pouvoir et placé dans un monastère.

Le fossoyeur des Mérovingiens

En 751, Pépin cherche à devenir roi. Il obtient l'appui du pape Zacharie en échange de la promesse de le défendre contre les Lombards qui menacent Rome. Le pape déclare alors que c'est celui qui règne dans les faits qui doit être déclaré roi. Grâce à ce soutien, Pépin se fait élire roi à Soissons par l'assemblée des *grands** du royaume en 751 et est sacré, toujours à Soissons, par l'archevêque de Mayence. En 754, le pape Étienne II le sacre de nouveau à Saint-Denis, après une nouvelle promesse de soutien militaire. C'est le début d'une alliance entre Rome et la royauté : l'année suivante, Pépin intervient en Italie, restitue au pape les territoires reconquis sur les Lombards. En retour, les papes soutiendront la politique carolingienne.

Pépin, en bref...

Pépin est surnommé le Bref en raison de sa petite taille et non pour avoir vécu peu de temps. Mourir à 54 ans était une bonne performance, en un temps où la durée de vie, y compris dans les grandes familles, était plutôt de vingt-trois ans...

Berthe au grand pied

La mère de Charlemagne était la fille de Caribert, le comte de Laon. Elle épousa Pépin le Bref en 741. Ce dernier chercha à s'en séparer en 752, mais le pape le força à conserver cette épouse. Peut-être que Pépin n'appréciait guère que son épouse ait un pied plus grand que l'autre, particularité physique qui explique son surnom.

CHARLEMAGNE (742-814)

Roi des Francs (768-814), empereur (800-814)

Épouses : Himiltrude, Désirade, Hildegarde, Fastrade, Liutgarde, Madelgarde, Régina, Adelinde et Gerswinde

Fils de Pépin le Bref et de Berthe au grand pied, Charles a été surnommé le Grand (en latin *magnus*, d'où Charlemagne) après son règne. D'une large carrure, mesurant plus de 1m90, bedonnant, il avait sans doute fière allure mais ne portait pas de « barbe fleurie », comme le prétendait Victor Hugo. Il portait cependant une très belle moustache.

En 768, à la mort de Pépin le Bref, il se partage le royaume avec son frère Carloman et obtient la *Neustrie**, une bonne partie de *l'Austrasie** et de l'Aquitaine. Mais Carloman meurt en 771 et

Charles réunit ainsi tout le royaume sous son autorité.

La conquête de l'Empire

Charles se lance alors dans une politique d'expansion quasi continuelle. Il intervient contre les Lombards, à l'appel du pape Hadrien Ier, une fois de plus menacé. Victorieux en 774, il devient roi des Lombards, annexant le Nord de l'Italie. L'essentiel de son effort se tourne alors jusqu'en 803 vers l'Allemagne et le peuple saxon.

Poursuivant une politique de conversion de ce peuple païen, il mène dans le même temps une guerre de terreur : il fait décapiter 4 500 Saxons à Verden en 782. Il agrandit ainsi l'emprise des Francs sur le cœur de l'Allemagne actuelle. Il intervient également contre les Avars en Hongrie et en Espagne contre les musulmans : c'est lors de la retraite d'une campagne menée en 778 que l'arrière-garde, menée par Roland, est attaquée et décimée par les Basques au col de Roncevaux.

Fort du soutien de l'Église et désormais maître d'une grande partie de l'Occident, Charles est couronné empereur le 25 décembre 800 à Rome par le pape Léon III.

L'organisation de l'Empire

Pour tenir un si vaste territoire, Charlemagne réorganise l'administration : il généralise la division du royaume en comtés, circonscriptions gérées par un comte ; dans les régions périphériques, en proie à la guerre, il instaure des ensembles plus vastes, les marches, contrôlés par des margraves ou marquis. Il accorde également d'importants pouvoirs administratifs aux évêques, qu'il nomme souvent lui-même, et fait contrôler l'administration des comtes par l'envoi de fonctionnaires, les *missi dominici*.

À la tête de cette organisation, Charlemagne installe sa capitale à Aix-la-Chapelle dès 796, bien que l'empereur soit resté très mobile et ne s'y installe vraiment qu'en 807.

Un père de famille nombreuse

On attribue neuf épouses successives à Charlemagne, ce qui n'exclut pas les concubines. Au bout du compte, on dénombre ainsi dix-huit enfants reconnus. Leur sort fut très variable. Les moins bien placés dans l'ordre de succession, réalisèrent des carrières ecclésiastiques, comme Drogon, fils de Régina, devenu évêque de Metz.

Charlemagne était très attaché à ses filles (un peu trop selon la rumeur) et eut du mal à s'en séparer. Il préféra ainsi voir Bertrade vivre en concubinage avec un familier de la Cour, Angilbert, plutôt que de la voir se marier et quitter son entourage.

Mais seuls les trois fils d'Hildegarde furent pressentis pour se partager l'Empire à sa mort : deux d'entre eux, Pépin et Charles, moururent en 810 et 811. Aussi Louis, le troisième, hérita-t-il seul.

Charlemagne a-t-il inventé l'école ?

Amateur de chasse et de natation, Charlemagne était peut-être illettré. Mais il sut s'entourer d'une Cour brillante, qui suscita une véritable renaissance carolingienne. Au sein du palais, apparut une école palatine chargée de former les hauts fonctionnaires : centre de rayonnement culturel, on pouvait y croiser de brillantes personnalités venues de toute l'Europe, comme l'historien lombard Paul Diacre ou l'Anglo-Saxon Alcuin. De ce foisonnement intellectuel sortit également un renouveau du chant religieux (le chant grégorien), une architecture nouvelle et la rédaction de nombreuses copies de textes antiques.

Charlemagne encouragea aussi le développement de l'enseignement dans l'Empire : des écoles existaient déjà autour de nombreux centres religieux, bien avant son règne. Mais il poussa les églises à développer la formation intellectuelle des futurs prêtres et de tous ceux qui souhaitaient suivre cet enseignement.

LOUIS Ier LE PIEUX (778-840)

Empereur (814-840)

Épouses : Irmingarde et Judith de Bavière

Louis Ier avait été sacré et désigné comme empereur dès 813. Unique fils vivant à avoir été reconnu comme successeur de Charlemagne, il est seul à hériter de tout l'Empire. En 817, Louis Ier fixe à son tour la part qui reviendra à chacun de ses fils : Lothaire, qui doit devenir empereur, Pépin et Louis. Exclu du partage, Bernard, un des neveux de Louis Ier, se révolte. Après l'avoir vaincu, l'empereur lui fait crever les yeux, provoquant sa mort. Contesté par les siens et marqué par une foi très exigeante, Louis Ier fait pénitence publiquement pour cet acte : il sort affaibli de l'épreuve.

Ayant eu de sa seconde épouse un quatrième fils, Charles, l'empereur tente de modifier le partage de 817. Ses autres fils se révoltent alors : il est vaincu et abdique à deux reprises, en 830 et 833, mais revient chaque fois du fait de la discorde entre ses héritiers.

Un nouveau partage est effectué en 839, qui ne sera pas respecté à sa mort.

Un empereur très pieux

Louis poursuit la politique de conquête de Charlemagne, soumettant plus fortement les Bretons, les Saxons, mais aussi les Slaves à l'est de la Saxe. Cependant, l'objectif de Louis est d'associer fermement l'Église à l'Empire : il impose sa piété à la Cour, s'appuie plus fortement sur les évêques dans son gouvernement et dans les provinces, et cherche à réformer l'Église : elle est associée à son pouvoir, mais en même temps très contrôlée.

CHARLES II LE CHAUVE (823-877)

Roi de Francie occidentale (840-877), **empereur** (875-877)
Épouses : Ermentrude et Richilde

Dernier fils de Louis le Pieux et de Judith, il reçoit à la mort de son père un territoire situé à l'ouest de l'Empire et s'allie à son frère Louis le Germanique contre son autre frère Lothaire. Après plusieurs négociations, les frères se partagent l'Empire lors du traité de Verdun en 843, traité fondateur qui définit le nouveau cadre du royaume de France. Charles reçoit la Francie occidentale, ancêtre de la France actuelle. Lothaire reste empereur, avec un territoire entre l'Italie et les Pays-Bas actuels, appelé *Lotharingie**. Louis obtient la Francie orientale, royaume aux origines de l'Allemagne.

En Francie occidentale, Charles II doit faire face aux attaques répétées de ses frères, et des Vikings, qui prennent Paris en 845. Certains seigneurs gagnent de plus en plus d'influence, en jouant un rôle de défense contre ces envahisseurs : c'est le cas de Robert le Fort, ancêtre des *Robertiens**-Capétiens, entre Loire et Seine.

L'empereur dans un tonneau

Après la mort de Lothaire et du fils de ce dernier, Louis, c'est Charles II qui hérite du titre impérial : en 875, il est couronné empereur par le pape à Rome. Mais, deux ans plus tard, il meurt dans les Alpes en revenant d'un voyage en Italie. Afin de le ramener à Saint-Denis, ses serviteurs décident de l'embaumer pour le conserver. Le corps continue pourtant à pourrir : on finit par le mettre dans un tonneau enduit de poix et recouvert de cuir. L'odeur devenant insupportable, on l'enterre finalement près de Lyon.

LOUIS II LE BÈGUE (846-879)

Roi de Francie occidentale – ou France (877-879)
Épouses : Ansgarde et Adélaïde

Il est le seul fils de Charles le Chauve. À la mort de son père, il hérite d'un royaume affaibli par la montée en puissance des *grands** et notamment des comtes, de plus en plus autonomes. Malade, bègue, il a du mal à imposer son pouvoir. Louis III et Carloman, nés d'Ansgarde, lui succèdent. Plus tard, Charles III, né d'Adélaïde, devient également roi de France.

LOUIS III (v. 863-882)

Roi de France (879-882)
Épouses : Frédérune et Odgive

Fils aîné de Louis II, il règne conjointement avec son frère Carloman. Remportant la victoire de Saucourt-en-Vimeu sur les Vikings en 881, il meurt l'année suivante sans enfant. Son frère lui succède seul.

CARLOMAN (867-884)
Roi de France (879-884)

Deuxième fils de Louis II, il règne avec son frère aîné Louis III. Sous leur règne conjoint, ils reconnaissent au roi de Germanie la possession de toute la *Lotharingie**, royaume né des possessions de Lothaire lors du partage de 843 et désormais réuni à la Francie orientale. Suite à sa mort lors d'un accident de chasse, c'est le dernier fils de Louis II, Charles III, qui doit lui succéder. Mais Charles le Gros, fils de Louis le Germanique, s'empare du trône.

CHARLES LE GROS (839-888)
Roi de France (885-887)

Troisième fils de Louis le Germanique, il prend le pouvoir au détriment de Charles III, fils de Louis II, alors âgé de 5 ans. En 886, il porte assistance au comte Eudes, fils de Robert le Fort, qui défend Paris contre les Vikings. Mais rapidement Charles choisit de faire la paix avec les envahisseurs. Déconsidéré aux yeux de l'aristo-cratie, il est déposé lors d'une assemblée des grands, la diète de Tibur en 887. Il finit ses jours au monastère de la Reichenau, en Souabe, en 888.

EUDES (860-898)
Roi de France (888-898)

Épouse : Théodrade

Eudes est le fils de Robert le Fort. Il n'est pas un Carolingien mais un Robertien, ancêtre des Capétiens. Comte de Paris et de Troyes, c'est à son action de défense du royaume contre les Vikings qu'il doit d'être choisi pour roi par les grands après la déposition de Charles le Gros. Cette tentative de changement dynastique, appuyée par l'aristocratie franque et liée au déclin des Carolingiens, n'est pas définitive : Charles III le Simple, fils posthume de Louis II, se fait couronner en 893 à Reims. S'ensuit une guerre entre les partisans des deux rois. Mais, avant sa mort, Eudes reconnaît Charles III comme successeur.

CHARLES III LE SIMPLE (879-929)

Roi de France (893-923)

Épouses : Frédérune et Odgive (ou Edwige)

Fils posthume de Louis II le Bègue, il appartient à la famille carolingienne. Il est longtemps écarté de la succession en raison de son jeune âge. Dépossédé par Eudes qui n'est pas un Carolingien, il parvient cependant à obtenir l'appui de l'archevêque de Reims et d'une partie de l'aristocratie, et se fait couronner en 893 à Reims. Il finit par succéder à Eudes, devenant le seul roi de France.

Pour mettre fin aux invasions des Vikings, il accorde à leur chef Rollon un territoire au traité de Saint-Clair-sur-Epte, en 911 : c'est la Normandie, la terre des hommes du Nord. Libéré de cette menace, Charles III mène une politique d'expansion vers la Lorraine.

Un roi concurrencé par les Robertiens

Mais il se heurte à la rivalité des *Robertiens** : Robert, frère d'Eudes, est couronné à Reims en 922. Charles III le tue lors d'une bataille à Soissons en 923, mais son armée est battue : il doit fuir et laisser le gendre de Robert, Raoul, être désigné

comme roi. Capturé peu après, il est emprisonné
à Péronne où il finit ses jours.

ROBERT Ier (860-923)

Roi de France (922-923)

Épouse : Béatrice

Second fils de Robert le Fort, il n'est pas un
Carolingien mais un Robertien. Possessionné à
Paris, reconnu marquis de *Neustrie**, il est d'abord
allié de Charles III contre les Normands, mais se
révolte contre lui en 920. Avec l'appui des *grands**,
il est élu roi et couronné en 922, mais meurt l'année suivante lors d'une bataille contre son rival
à Soissons.

RAOUL Ier (?-936)

Roi de France (923-936)

Épouse : Emma

À l'origine, Raoul est duc de Bourgogne depuis
921. Allié à Robert, marquis de Neustrie, dont il a
épousé la fille Emma, il se révolte contre Charles III.
À la mort de Robert, lors de la bataille de Soissons
en 923, et alors que Charles III est vaincu, il est élu

roi de France. Roi guerrier, il repousse en 926 une invasion hongroise et parvient à soumettre les Normands en 930, mais il meurt sans héritier.

LOUIS IV D'OUTREMER (v. 918-954)

Roi de France (936-954)

Épouse : Gerberge de Saxe

Fils de Charles III le Simple et d'Odgive, qui est la fille du roi du Wessex, il part en exil en Angleterre après la défaite de son père. Mais à la mort de Raoul, Louis IV est rappelé en France et couronné roi à Laon, avec le soutien du fils de Robert Ier, Hugues le Grand. Hugues porte alors le titre de duc des Francs. C'est un des plus puissants seigneurs du royaume et, rapidement, il cherche à en prendre le contrôle.

C'est pour le vaincre que Louis IV s'allie à Othon Ier, roi d'Allemagne. Hugues est battu, condamné par une assemblée ecclésiastique, et reconnaît Louis IV comme roi en 950. Ce dernier étant mort en 954 d'une chute de cheval, son fils Lothaire IV lui succède.

LOTHAIRE IV (941-986)

Roi de France (954-986)

Épouse : Emma

En tant que fils de Louis IV, il a été associé au trône en 946. À la mort de son père, les *grands** le choisissent comme roi : il est sacré et couronné à Reims en 954. Trop jeune, il est placé sous la tutelle de l'évêque de Cologne. Sous son règne, les *Robertiens** consolident leur pouvoir : Hugues le Grand prend le contrôle de l'Aquitaine et son fils Hugues Capet se voit octroyer le titre prestigieux de duc des Francs, signe de sa puissance. En 978, Lothaire entre en guerre contre le roi d'Allemagne Othon II pour le contrôle de la *Lotharingie**. Battu et trahi par l'archevêque de Reims Adalbéron, il ne peut repousser l'invasion de son royaume qu'avec l'aide d'Hugues Capet. Son fils Louis V lui succède.

LOUIS V (967-987)

Roi de France (986-987)

Épouse : Adélaïde d'Anjou

Fils de Lothaire IV, il a été associé au trône

dès 978 et sacré en 979 à Compiègne. Héritant d'une royauté affaiblie, régnant sous la tutelle de sa mère Emma, il est également méprisé par les grands en raison de ses difficultés conjugales avec une épouse de vingt ans son aînée, qui finit par l'abandonner pour le comte d'Arles.

La revanche de l'archevêque de Reims

Louis V obtient cependant le soutien des *Robertiens** pour condamner l'archevêque de Reims Adalbéron, qui avait trahi son père au profit du roi d'Allemagne.

L'archevêque pensait ainsi mettre fin à la dynastie carolingienne, trop déconsidérée pour assurer la paix du royaume. Son procès devait se tenir à Compiègne, en compagnie des *grands**. Mais Louis V meurt d'une chute de cheval, sans laisser de descendance.

Adalbéron profite des circonstances, convainc les *grands** de l'innocenter et de choisir Hugues Capet pour nouveau roi plutôt que le prétendant carolingien Charles de Basse-Lorraine. C'est la fin de la dynastie carolingienne.

Les Capétiens directs

Hugues Ier Capet
941-987-996

Robert II Le Pieux
vers 972-996-1031

Henri Ier
vers 1008-1031-1060

Philippe Ier
vers 1052-1060-1108

Louis VI Le Gros
vers 1082-1115-1137

Louis VII Le Jeune
1120-1137-1180

Philippe II Auguste
1165-1180-1223

Louis VIII Le Lion
1187-1223-1226

Louis IX (Saint Louis)
1214-1226-1270

Philippe III Le Hardi
1245-1270-1285

Philippe IV Le Bel
1268-1285-1314

Charles de Valois
1270-1325

Louis X Le Hutin
1289-1314-1316

Philippe V Le Long
vers 1293-1316-1322

Charles IV Le Bel
1294-1322-1328

Dynastie des Valois

Jean Ier Le Posthume
1316

En grisé ceux qui ont régné

Les Capétiens directs

•

Les Capétiens directs (987-1328)

Les Capétiens sont la troisième dynastie de rois de France. Ils sont les descendants des *Robertiens**, dont deux représentants, Eudes et Robert, avaient déjà été rois en alternance avec des Carolingiens. À partir d'Hugues Capet, en 987, ils règnent continuellement et directement jusqu'en 1328, puis par des branches indirectes qui descendent toutes des Capétiens : Valois, Bourbons, Orléans.

De la cape de Saint-Martin aux « Capétiens »

Le nom de la dynastie vient du surnom de son fondateur appelé Hugues « Capet » parce qu'il détenait l'abbaye de Saint-Martin de Tours, où était conservée la cape de saint Martin, que ce dernier avait coupée en deux pour la partager avec un pauvre. On appela par la suite les descendants d'Hugues Capet les Capétiens.

Un lent renforcement du pouvoir monarchique

En 987, cette famille, quoique prestigieuse, ne dispose que de peu de terres : son *domaine** est concentré essentiellement sur Senlis, Paris et Orléans. Le premier effort de la dynastie consiste à agrandir ce domaine par des achats, des mariages, des héritages, plus rarement par la guerre.

Mais ils se heurtent à d'autres puissantes familles : tout d'abord aux grands *féodaux**, puis, à partir de 1152, à la famille des Plantagenêts régnant sur l'Angleterre et bien installée sur le sol français, de la Normandie à l'Aquitaine.

Progressivement, les Capétiens deviennent maîtres d'une grande partie du royaume, notamment au XIIIe siècle, avec l'acquisition de la Normandie et du Languedoc. Pour répondre aux besoins de gestion d'un domaine plus vaste, ils réorganisent l'administration et jettent ainsi les bases de l'État moderne.

L'instauration d'un droit d'aînesse fort

Mais la grande force des Capétiens a été d'imposer lors de chaque succession leur fils aîné, sans partage de la royauté. En cela, la chance les a servis : chaque roi s'est retrouvé avec un fils capable de lui succéder.

Les Capétiens ont également su faire reconnaître leur successeur de leur vivant en l'associant au trône, et longtemps en le faisant sacrer avant leur propre mort.

1328 : la fin d'une dynastie ?

Les trois derniers Capétiens directs, Louis X, Charles IV et Philippe V, meurent sans laisser d'héritier mâle. Se pose alors la question de savoir qui choisir : doit-on préférer le roi d'Angleterre, petit-fils de Philippe IV le Bel par sa mère et héritier le plus direct, ou Philippe de Valois, héritier d'un des frères de Philippe IV, donc successeur moins direct, mais par les hommes seuls ? La question ne s'était jamais posée.

Face au risque de se retrouver avec un roi anglais, les grands seigneurs choisissent Philippe. Une nouvelle dynastie arrive, mais en réalité, comme pour les dynasties suivantes, elle descend bien d'Hugues Capet. C'est pourquoi lors du procès de Louis XVI ce dernier fut condamné sous le nom de Louis Capet !

HUGUES CAPET (940-996)

Roi de France (987-996)

Épouse : Adélaïde d'Aquitaine

Il est le fils d'Hugues le Grand et d'Hadwige de Saxe, la sœur du roi d'Allemagne Othon 1er. En échange de sa fidélité à Lothaire IV, Hugues est reconnu duc des Francs en 960. Puissant seigneur, jugé bon défenseur du royaume contre les Germains, il est choisi comme roi par les *grands** en juin 987, à Senlis.

Il l'emporte sur le Carolingien Charles de Basse-Lorraine, trop proche du roi d'Allemagne. Sacré à Noyon en juillet, il associe son fils Robert à la royauté en le faisant sacrer à la Noël 987. Cette pratique fut reprise par ses successeurs jusqu'à Philippe-Auguste.

Ainsi se trouve écartée l'hypothèse d'un retour des Carolingiens. Charles de Basse-Lorraine est d'ailleurs fait prisonnier en 991 et finit ses jours dans un cachot à Orléans. Les Capétiens ont gagné.

« Qui t'a fait comte ? – Qui t'a fait roi ? »

Ce dialogue entre Hugues Capet et le comte Aldebert de

Périgord a peut-être été inventé après coup. Il témoigne cependant de la situation fragile d'Hugues Capet. Le roi prétend rappeler par sa question qu'il est celui dont les comtes tirent leur pouvoir. Mais il est remis à sa place par le comte Aldebert : Hugues n'est roi que parce que les grands seigneurs l'ont choisi. Sa politique dépend donc de leur bon vouloir.

ROBERT II LE PIEUX (972-1031)

Roi de France (996-1031)

Épouses : Suzanne de Provence, Berthe de Bourgogne et Constance d'Arles

Fils d'Hugues Capet, il a été associé au trône très tôt, en étant sacré à la Noël 987 à Orléans. À son tour, Robert II associe son fils aîné Hugues en 1017, puis à la mort de ce dernier, en 1026, son second fils Henri.

Robert est en conflit permanent : contre les seigneurs d'Île-de-France, contre les brigands et contre ses propres fils, qu'il a associés à son règne, mais sans leur donner de domaine.

Un roi pieux mais en conflit avec le pape

Robert II est fréquemment en conflit avec la papauté : en 996, il répudie sa première femme et épouse Berthe de Bourgogne. Le pape Grégoire V l'excommunie car les deux nouveaux époux sont parents. Robert finit par céder en 1001. En 1003, il se remarie avec Constance d'Arles, Suzanne étant entre-temps entrée dans les ordres. Mais le couple ne s'entend pas : en 1010, le roi tente de faire annuler le mariage, mais le pape refuse.

Malgré ces conflits avec le pape, Robert II soutient, comme jadis son père, les tentatives de l'Église visant à instaurer la paix de Dieu. Il défend aussi la réforme de l'ordre des moines de Cluny et réprime sévèrement les *hérétiques**.

Il aurait été en outre le premier roi à toucher les écrouelles (voir : Le sacre).

L'accroissement du domaine royal sous Robert II

Malgré ces difficultés, Robert parvient à agrandir le domaine avec les comtés de Dreux, Melun et Paris, ainsi qu'avec le duché de Bourgogne conquis en 1016, après quatorze années de conflit.

HENRI Ier (1008-1060)

Roi de France (1031-1060)

Épouses : Mathilde et Anne de Kiev

Deuxième fils de Robert II et de Suzanne, il est fait duc de Bourgogne en 1017. À la mort de son frère aîné en 1026, il devient l'héritier du trône et est sacré à Reims en 1027, sacre renouvelé en 1031 lorsqu'il devient roi.

Il doit tout d'abord combattre les prétentions de Robert, son frère cadet, auquel il concède la Bourgogne et le Vexin français. Les grands *féodaux**, comme le duc d'Aquitaine, le comte de Blois et surtout le duc Guillaume de Normandie, futur Guillaume le Conquérant, tout en le reconnaissant comme roi, n'hésitent pas à combattre sa politique.

Après avoir soutenu Guillaume de Normandie contre les barons normands révoltés, Henri Ier tente de mettre au pas ce duc trop puissant. Mais il est battu par Guillaume à Mortemer en 1054 et à Varaville en 1057.

PHILIPPE Ier (1052-1108)

Roi de France (1060-1108)

Épouses : Berthe de Hollande et Bertrade de Montfort

Philippe est le fils d'Henri Ier et d'Anne de Kiev. Déjà sacré en 1059, il l'est de nouveau en 1060 en devenant roi à la mort de son père, à l'âge de 8 ans. Sa mère et son oncle Baudoin V, comte de Flandre, exercent la *régence**. Ils ne peuvent s'opposer à la conquête de l'Angleterre par Guillaume le Conquérant en 1066.

Le règne de Philippe Ier connaît cependant un agrandissement du domaine royal, une réforme de l'administration et un renforcement de la monarchie. Le roi tente également d'affaiblir les ducs de Normandie en s'alliant à d'autres seigneurs normands. Il cherche par ailleurs à s'appuyer sur les villes : il leur reconnaît une certaine autonomie en échange de leur soutien contre les autres seigneurs.

Philippe Ier se heurte cependant à l'hostilité du pape qui lui reproche d'avoir répudié en 1089 Berthe de Hollande, au profit de Bertrade de Montfort : il est excommunié à plusieurs reprises et, en raison de ces divergences, ne participe pas à la première croisade lancée par le pape en 1096. À partir de 1101, le roi laisse gouverner son fils Louis, qu'il a associé à son trône depuis 1098.

L'accroissement du domaine royal sous Philippe 1er

Les comtés de Vermandois et de Gâtinais, le Vexin français, la vicomté de Bourges.

LOUIS VI LE GROS (1084-1137)

Roi de France (1108-1137)

Épouses : Lucienne de Rochefort et Adélaïde de Savoie

Fils de Philippe Ier et de Berthe de Hollande, Louis VI a d'abord reçu les comtés de Vexin puis de Vermandois, tout en gouvernant au nom de son père dès 1101.

En 1108, il est sacré dans l'urgence à Orléans : les Capétiens n'étant alors pas assez bien établis pour constituer une dynastie incontestée, et des rivaux pouvant apparaître, on n'a pas le temps d'aller jusqu'à Reims !

Louis VI fait couronner et reconnaître comme roi son fils Philippe en 1129, mais celui-ci meurt en 1131. Le roi fait alors sacrer son second fils, le futur Louis VII.

Un roi malade, une monarchie en bonne santé

Louis VI, de santé fragile et obèse, doit combattre contre les seigneurs locaux qui cherchent à s'emparer de son domaine et refusent son autorité. Il continue la politique de son père sur bien des points, notamment en appuyant le mouvement d'autonomie des villes et en cherchant à affaiblir le roi d'Angleterre, également duc de Normandie, malgré la grave défaite de Brémule en 1119.

Il parvient également à repousser une invasion de l'empereur d'Allemagne Henri V. Assisté par de remarquables conseillers issus de l'Église, comme l'abbé de Saint-Denis Suger, Louis VI permet un réel essor du pouvoir monarchique.

LOUIS VII LE JEUNE (1121-1180)

Roi de France (1137-1180)

Épouses : Aliénor d'Aquitaine, Constance de Castille et Adèle de Champagne

Louis VII est le fils de Louis VI, qui l'a fait sacrer dès 1131. En 1137, Louis VII épouse Aliénor d'Aquitaine, devenant ainsi le maître de tout le sud-ouest du royaume, et hérite de la couronne de son père.

Louis VII conserve les conseillers de son père, comme l'abbé de Saint-Denis Suger, et poursuit sa politique fondée sur l'autonomie des villes et le contrôle des *féodaux**. À ces débuts heureux succède cependant un grave conflit avec le pape et le puissant comte Thibaut IV de Champagne, à propos de la nomination de l'archevêque de Bourges. Le roi est excommunié et, pour expier sa faute, part en 1147 en *Terre sainte** pour la deuxième croisade. Il laisse la régence à son conseiller Suger. L'échec de l'expédition le fait revenir en 1149.

1152 : naissance d'un puissant ennemi

En conflit avec son épouse Aliénor d'Aquitaine, Louis VII fait annuler le mariage par le concile de Beaugency, en 1152, en s'appuyant sur le fait que les époux étaient cousins. Mais cela entraîne aussitôt le remariage d'Aliénor avec Henri II Plantagenêt, comte d'Anjou, duc de Normandie et futur roi d'Angleterre.

Désormais, les rois d'Angleterre deviennent

les plus puissants adversaires des Capétiens sur le sol français, grâce à leurs nombreuses possessions allant de la Normandie à l'Aquitaine.

Aliénor d'Aquitaine, la reine libre

Héritière du duché d'Aquitaine à l'âge de 13 ans, la jeune et belle Aliénor connaît un incroyable destin. Reine de France (elle épouse à Bordeaux le 25 juillet 1137 le futur Louis VII), elle participe aux croisades. Devenue libre après son divorce en 1152, elle épouse le comte d'Anjou, duc de Normandie et futur roi Henri III d'Angleterre. Mère de trois rois, elle règna pendant soixante-sept ans et donna naissance à une douzaine d'enfants.

PHILIPPE II AUGUSTE (1165-1223)

Roi de France (1180-1223)

Épouses : Isabelle de Hainaut, Ingeburge de Danemark et Agnès de Méranie

Philippe II Auguste, fils de Louis VII et d'Adèle de Champagne, succède à son père en 1180, mais a déjà été sacré en 1179 à Reims. Marié en 1180 à Isabelle de Hainaut, fille du comte de Flandre Philippe d'Alsace, Philippe Auguste est encore trop jeune pour régner. Son beau-père exerce la régence jusqu'à ce que le jeune roi conteste son autorité : allié à d'autres *féodaux**, Philippe Auguste bat son beau-père et obtient l'Artois et le Vermandois.

Mais rapidement un adversaire plus redoutable s'oppose à lui : la dynastie anglaise des Plantagenêts, puissamment installée dans l'ouest du royaume de France. En 1187, Henri II Plantagenêt tente de s'emparer du Languedoc, mais Philippe Auguste parvient à s'allier à Richard Cœur de Lion et Jean sans Terre, les deux fils d'Henri II, contre leur père. En 1189, Richard hérite du trône anglais. Les deux rois s'entendent bien et partent en 1190 en croisade. Après la prise de Saint-Jean-d'Acre, Philippe Auguste revient en France et profite de l'absence de Richard pour envahir la Normandie, défendue par Jean sans Terre. Mais Richard revient en 1194 après plusieurs années d'emprisonnement. La guerre tourne à son avantage, notamment à la bataille de Courcelles en 1198, mais il meurt en 1199, laissant Jean sans Terre sur le trône anglais. Vient alors un temps de trêve, trêve concrétisée par le mariage du fils de Philippe Auguste, le futur Louis VIII, avec Blanche de Castille, la nièce de Jean.

Le temps des victoires

Mais la guerre reprend vite. En 1202, Philippe Auguste intervient dans une querelle entre Jean et le comte Hugues de Lusignan en confisquant les terres françaises du roi d'Angleterre. Il occupe la Normandie, le Maine et la Touraine. Sa victoire est totale en 1204. Mais une alliance des nombreux adversaires de Philippe II menace toute son œuvre : Jean, roi d'Angleterre, les ducs de Brabant, de Limbourg et de Lorraine, les comtes de Flandre, de Hollande et de Boulogne, et enfin l'empereur d'Allemagne Otton de Brunswick s'unissent contre lui. Cette coalition est écrasée en 1214 lors de la bataille de Bouvines, bataille qui donne à Philippe II une gloire immense.

Dans le même temps, le roi Jean est battu par Louis, futur Louis VIII, à La-Roche-au-Moine. La fin du règne est marqué par un autre front militaire : le Languedoc. Une croisade a été lancée en 1209 contre les *albigeois**. Le roi laisse son fils diriger les opérations. Sous son règne ont également lieu en Terre sainte les troisième, quatrième et cinquième croisades, auxquelles le roi ne participe pas.

Un roi fondateur pour la monarchie

Désormais à la tête d'un immense domaine, le roi doit réorganiser son administration. Il s'appuie moins sur les *féodaux** et davantage sur des hommes moins puissants mais plus fidèles et souvent mieux formés. Dans les provinces, des baillis sont envoyés dès 1184 pour le représenter : ils exercent des fonctions militaires, policières, judiciaires et administratives en son nom.

À la tête de l'administration, le roi s'appuie sur des *officiers** aux titres moins prestigieux. En 1185, il remplace le puissant chancelier par un simple garde des sceaux aux attributions plus réduites et met fin à la prestigieuse fonction de sénéchal, dont le dernier détenteur, Thibaut de Blois, était trop puissant à ses yeux. Paris devient réellement une capitale pour le royaume : la Cour et surtout l'administration s'y installent.

Le trésor royal y est placé sous la garde de l'ordre des Templiers, la forteresse du Louvre est édifiée. Une nouvelle muraille, dite « de Philippe Auguste », est construite pour la ville. Des forteresses sont également édifiées en province, notamment à Dourdan, Vernon, Gisors ou Montlhéry.

Le pape, Philippe Auguste et ses femmes

Après la mort d'Isabelle de Hainaut, Philippe Auguste épouse Ingeburge de Danemark mais la répudie aussitôt pour épouser Agnès de Méranie. Il est excommunié par le pape Innocent III pour bigamie. Il se soumet en reprenant Ingeburge mais fait reconnaître les enfants d'Agnès pour légitimes...

Les apports de Philippe II Auguste au domaine

Le comté de Valois près de Paris, les comtés d'Artois et de Vermandois dans le nord ; le duché de Normandie et les comtés d'Évreux, d'Alençon, de Touraine, du Maine, d'Anjou et de Poitou, dans l'Ouest : une riche moisson ! Le bilan du règne est impressionnant. Philippe fut d'ailleurs surnommé Auguste (titre rappelant le nom du premier empereur romain) en raison de sa capacité à augmenter le domaine royal – en latin *augere* veut dire augmenter – et a donné l'adjectif auguste.

LOUIS VIII LE LION (1187-1226)

Roi de France (1223-1226)
Épouse : Blanche de Castille

Fils de Philippe II Auguste et d'Isabelle de Hainaut, Louis VIII est le premier Capétien à succéder sans avoir été sacré du vivant de son prédécesseur. Il doit son surnom aux nombreuses victoires qu'il remporta. Après avoir combattu au nom de son père et avoir battu le roi d'Angleterre en 1214, il a été choisi par les barons anglais pour devenir leur roi en 1216. Malgré une expédition victorieuse en Angleterre, Louis rencontre vite une forte opposition et renonce au trône anglais. Il participe également à la croisade contre les *albigeois**jusqu'en 1219. Devenu roi en 1223, il continue l'expansion vers le sud, mais échoue à prendre la Gascogne. Une nouvelle croisade est lancée en 1226. Le pape remet alors le comté de Toulouse à Louis VIII. Ce dernier prend également Avignon, s'empare du Languedoc, mais meurt peu après de dysenterie, en revenant vers Paris.

Blanche de Castille

Née en 1188 à Palencia (Vieille Castille), Blanche est la fille du roi Alphonse VIII de Castille et la petite-fille d'Aliénor d'Aquitaine. C'est à l'âge de 12 ans qu'elle épouse le futur roi Louis VIII ! Elle donna le jour à onze enfants, dont Louis IX (Saint Louis), l'aîné, Robert, comte d'Artois, Jean, comte d'Anjou et du Maine, Alphonse, comte de Poitiers, Charles, comte d'Anjou, de Provence et roi de Naples, ainsi qu'Isabelle.

Ne se contentant pas de ce rôle de mère, Blanche est une femme de pouvoir. Elle exerce une première fois la *régence** à la mort de Louis VIII au nom de son fils Louis IX, encore enfant, entre 1226 et 1234. Elle vient à bout de la révolte des grands *féodaux**, met fin à la croisade contre les *albigeois**, agrandissant le domaine du roi de la moitié du comté de Toulouse. Louis IX lui confie le gouvernement du royaume pendant la septième croisade, de 1248 à 1254. D'une main de fer, elle assure l'intérim, matant la révolte des Pastoureaux conduite par des paysans pillards.

Plus encore que par son action, elle joua un rôle essentiel dans l'histoire de France en transmettant à Saint Louis une piété religieuse intransigeante et rigoureuse, ainsi qu'un sens très élevé de la fonction royale.

LOUIS IX OU SAINT LOUIS (1214-1270)

Roi de France (1226-1270)

Épouse : Marguerite de Provence

Lorsque Louis IX hérite de son père Louis VIII, il n'a que 11 ans. C'est donc sa mère Blanche de Castille qui exerce la *régence** jusqu'en 1234, puis pendant la septième croisade, de 1248 à 1254. Son règne va longtemps marquer les esprits comme « le bon temps du roi Saint Louis ». La France est alors en pleine croissance économique, en situation de paix intérieure. Louis IX va fonder sa politique sur un respect très strict de la morale chrétienne : souci de la justice, défense de la paix, exaltation de la foi. C'est pour cette raison qu'il est canonisé dès 1297.

Gagner la paix

Les grands *féodaux** tentent à plusieurs reprises de mettre en cause la tutelle du roi, désormais plus lourde. En 1242, une grande révolte des *féodaux**, alliés au roi d'Angleterre, est vaincue à Taillebourg et à Saintes.

En 1243-1244, la paix est signée avec les seigneurs du Languedoc et le comte de Toulouse. L'emprise du roi sur le Midi est reconnue définitivement, la croisade contre les *albigeois** s'achève.

En 1243, une trêve avec l'Angleterre est obtenue. Ces succès, principalement diplomatiques, font de Louis IX un souverain écouté : on fait appel à lui dans plusieurs arbitrages, notamment entre le pape et l'empereur d'Allemagne. Mais si Louis IX cherche à obtenir la paix, c'est pour mieux réaliser son projet de croisade.

Saint Louis rendant la justice sous un chêne

Le récit de Saint Louis rendant la justice lui-même au pied d'un chêne a été rapporté par Jean de Joinville, sénéchal de Champagne et proche de Saint Louis. Il rédigea trente ans après la mort du roi une vie de Saint Louis. Admirateur du saint, le chroniqueur voulut ainsi le dépeindre comme un roi juste, aisément accessible, alors que la justice royale, rendue par le *Parlement**, devenait de plus en plus complexe et bureaucratique. Aucun autre témoignage ne confirme ce récit ; il peut s'agir d'un souvenir véritable comme d'une belle histoire à la gloire du saint roi.

Saint Louis le croisé

Ayant fait vœu de combattre les Infidèles en 1244, durant une grave maladie, Louis part d'Aigues-Mortes vers l'Égypte en 1247. Après avoir pris la ville de Damiette, il est sévèrement battu à la bataille de Mansourah : son frère Robert d'Artois est tué et Louis est fait prisonnier. Il n'est libéré qu'en renonçant à Damiette et en payant une énorme rançon. Il part alors en Palestine pour organiser la défense des forteresses des croisés. Revenu en France en 1254, il consolide la paix avec les autres souverains : en 1259, au traité de Paris, il parvient à la paix avec Henri III d'Angleterre. Ce dernier le reconnaît comme *suzerain**, accepte la perte de la Normandie, de la Touraine, du Maine, de l'Anjou et du Poitou, mais fait admettre par Louis sa possession du Sud-Ouest de la France. Désormais, le but de Louis est de nouveau l'Orient. Il s'embarque en 1270 pour la huitième croisade, vers Tunis : il espère y convertir le sultan pour s'allier à lui contre le sultan d'Égypte. Mais une épidémie de dysenterie, contractée par l'armée en embarquant à Aigues-Mortes, l'emporte devant Tunis.

Les croisades

Entre 1095 et 1270, l'Occident chrétien lance huit grandes croisades pour conquérir et défendre la *Terre sainte**, alors sous domination musulmane. La croisade est donc une guerre, ordonnée par le pape et considérée comme le combat le plus juste, le plus légitime et le plus glorieux. Les rois de France y virent un moyen d'assurer leur prestige et de manifester leur foi. À la fin du XIIIe siècle, tous les territoires conquis en *Terre sainte** avaient été perdus. Ces croisades eurent donc peu d'intérêt pour l'Occident, mais renforcèrent les tensions entre chrétiens et musulmans.

Un programme royal très chrétien

Louis IX applique également cette vision très chrétienne de la royauté à l'intérieur du royaume. Des mesures sont ainsi prises contre l'usure, les blasphèmes, la prostitution. Cela se traduit également par la persécution des juifs. Le roi étant le meilleur garant de la justice et de la paix, Louis IX renforce la monarchie en cherchant à mettre fin aux abus des *officiers** royaux. Une grande ordonnance visant à réformer l'administration est rédigée en 1254. Des enquêteurs sont envoyés pour vérifier la gestion du domaine par les officiers.

Les apports de Louis IX au domaine

Outre les territoires reconnus par le roi d'Angleterre en 1259, en fait déjà conquis depuis Philippe II, Louis IX a apporté au domaine les comtés de Nîmes et de Carcassonne, la vicomté de Béziers, les comtés du Perche, de Mâcon et de Boulogne.

PHILIPPE III LE HARDI (1245-1285)

Roi de France (1270-1285)

Épouses : Isabelle d'Aragon et Marie de Brabant

Philippe III est proclamé roi devant Tunis et doit organiser le retour de l'armée, retour au cours duquel sa première épouse meurt de maladie. Il est sacré à Reims en 1271 et hérite la même année de son oncle Alphonse de Poitiers les comtés de Toulouse et de Poitou. Philippe III maintient la paix avec l'Angleterre en signant le traité d'Amiens, en 1279. Le roi hérite en 1283 de son frère Pierre et obtient les comtés du Perche et d'Alençon. Il agrandit encore le domaine en achetant les comtés de Nemours et de Chartres, mais cède le Comtat Venaissin au pape en 1274.

Philippe III s'illustre enfin par une intervention dans la politique espagnole : il fait tout d'abord épouser à son fils Philippe la princesse Jeanne, héritière du roi de Navarre Henri III.

Puis il envahit l'Aragon : le pape avait décidé d'excommunier le roi Pierre III, qui avait fait chasser de Sicile les Français en 1282 au cours des « Vêpres siciliennes ». Le saint-père avait ensuite remis l'Aragon à Charles de Valois, second fils de Philippe III. Une puissante armée est envoyée de France, mais l'expédition est un échec militaire et le roi meurt à Perpignan.

PHILIPPE IV LE BEL (1268-1314)

Roi de France (1285-1314)
Épouse : Jeanne de Navarre

En se mariant à Jeanne de Navarre, Philippe est devenu maître de la Champagne et du royaume de Navarre. Son règne voit un renforcement sensible de l'autorité monarchique.

Un roi effacé ou très bien conseillé ?

Philippe IV s'appuie beaucoup sur d'excellents juristes qui sont souvent d'origine assez modeste : Guillaume de Nogaret et Enguerrand de Marigny ont été ses plus fidèles agents, et le roi n'a pas hésité à les soutenir contre les grands seigneurs, au point qu'on l'a accusé de leur abandonner le pouvoir. Le palais de la Cité, à Paris, est reconstruit et abrite des institutions désormais bien structurées, comme la Chambre des comptes, chargée de vérifier la comptabilité des *officiers**. Enfin, Philippe IV le Bel retire aux Templiers la garde du trésor : ce dernier est désormais entre les mains de trésoriers nommés par le roi.

L'Ordre n'a alors plus de fonction depuis la chute des dernières villes chrétiennes en Terre sainte, puisque sa mission était de les défendre. Il est démantelé et dissous, et ses dirigeants, que l'on soupçonne d'hérésie et de pratiques homosexuelles, sont envoyés en prison ou brûlés. Face aux nouveaux besoins créés par la machine administrative, le roi tente de lever plusieurs impôts en convoquant les premiers *états généraux**, mais sans grand succès, et trafique les monnaies pour s'enrichir.

Le digne petit-fils de Saint Louis

Philippe IV se veut aussi l'héritier de Saint Louis, dont il s'inspire et qu'il fait canoniser par le pape. Cette exigence le conduit à manifester un profond respect pour son épouse, mais aussi à faire torturer et exécuter les amants supposés de ses belles-filles, dans l'affaire des Brus du roi en 1314.

Face aux grands *féodaux**

Sans mener lui-même les combats, Philippe IV parvient à assurer par la guerre son autorité sur le royaume : contre le roi d'Angleterre, également duc d'Aquitaine, dont le duché est envahi puis restitué lors du traité de Paris en 1303 ; contre le comte de Flandre, allié aux Anglais : la Flandre est occupée en 1297, mais les hommes du roi sont massacrés lors de la révolte des Mâtines de Bruges en 1302. Malgré la défaite royale contre les Flamands lors de la bataille des Éperons d'or à Courtrai, le roi parvient à rétablir la situation, annexe le Sud-Ouest de la Flandre, sans jamais ramener vraiment la paix.

Face au pape Boniface VIII

Un conflit plus grave oppose Philippe IV au pape Boniface VIII : le roi entend exercer son pouvoir sur tous à travers le royaume, y compris sur l'Église. Le pape affirme que le pouvoir royal doit être soumis à la papauté, chaque camp s'appuyant sur une véritable propagande littéraire.

Mais quelques jours après l'envoi de diplomates français auprès de Boniface VIII en 1303, le pape meurt, peut-être choqué par une intervention brutale des envoyés du roi. Le conflit est réglé. Dès 1305, les papes se fixent en Avignon et se rapprochent des rois de France.

LOUIS X LE HUTIN (1289-1316)

Roi de France (1314-1316)

Épouses : Marguerite de Bourgogne et Clémence d'Anjou et de Hongrie

Fils aîné de Philippe IV, il lui succède dans des conditions difficiles. En effet, en 1314, les trois belles-filles de Philippe IV ont été impliquées dans un scandale d'adultère avec trois chevaliers. Louis X répudie donc sa femme, qui meurt en 1315, peut-être tuée sur son ordre. N'ayant qu'une fille, Louis X se remarie avec Clémence de Hongrie. Son règne voit le royaume atteint par une grave crise économique, commencée sous Philippe IV.

La monarchie fragilisée

La faiblesse de la royauté permet aux nobles de remettre en cause son pouvoir. Des ligues nobiliaires sont constituées pour lutter contre la fiscalité royale et les interventions du roi dans la gestion des affaires seigneuriales : le roi doit reconnaître leurs exigences par des chartes, données aux différentes provinces. De plus, l'hostilité des nobles contre les anciens conseillers de Philippe IV se focalise sur Enguerrand de Marigny : accusé de détournements d'argent, il est exécuté. Décédé dès 1316, le roi ne laisse pas de fils, mais sa femme est enceinte...

JEAN Ier LE POSTHUME (1316)
Roi de France (1316)

À la mort de Louis X, la reine Clémence est enceinte. Dans l'attente de la naissance, Philippe, frère de Louis X, se déclare *régent** et prétend régner si l'enfant est une fille : il défend ainsi l'idée que seuls les mâles peuvent succéder.

Mais l'enfant est un garçon, Jean 1er. Malade, le petit roi ne vit que cinq jours, soit le règne le plus court de la monarchie française. À sa mort, son oncle Philippe est reconnu roi de France, à l'exclusion de la fille de Louis X, Jeanne : celle-ci est soupçonnée d'être une bâtarde en raison de la conduite supposée de sa mère, Marguerite, première épouse de Louis X.

PHILIPPE V LE LONG (1294-1322)

Roi de France (1316-1322)
Épouse : Jeanne de Bourgogne

Philippe V, second fils de Philippe IV, avait épousé Jeanne, fille du comte de Bourgogne. Soupçonnée d'adultère pendant l'affaire des Brus du roi, elle est innocentée. Régent en 1316, dans l'attente de la naissance de l'enfant porté par Clémence de Hongrie, Philippe lui succède lorsque l'enfant, Jean Ier, meurt cinq jours après sa naissance. Philippe V monte ainsi sur le trône dans un climat de contestation.

En 1317, pour garantir sa légitimité, il se fait sacrer à Reims et fait déclarer par une assemblée que « les femmes ne succèdent pas à la couronne de France », écartant ainsi définitivement la fille de Louis X, Jeanne.

Malgré un court règne, Philippe V met en place des réformes décisives dans l'administration, suivant la politique de son père Philippe IV : il réorganise le *Parlement**, le Conseil, le Trésor et la Chambre des comptes dont les statuts sont clairement définis par une ordonnance en 1320. Il meurt sans héritier.

CHARLES IV LE BEL (1294-1328)

Roi de France (1322-1328)

Épouses : Blanche de Hongrie, Marie de Luxembourg et
Jeanne d'Évreux

Charles, troisième fils de Philippe IV et de
Jeanne de Navarre, devient roi à la mort de son
frère Philippe V en 1322, selon le principe élaboré
en 1317, déclarant que les femmes ne succèdent
pas à la couronne de France. Charles IV poursuit
la politique de réforme administrative de son frère,
parachevant ainsi l'œuvre de Philippe IV le Bel.
Sous son règne, les tensions avec l'Angleterre
montent, sans aboutir à une véritable guerre : le
duché d'Aquitaine, qui appartient au roi Édouard II,
est plusieurs fois confisqué par le roi de France,
puis restitué contre une indemnité.

La fin d'une lignée

Comme ses deux frères, Charles IV ne laisse
pas d'héritier mâle. Cela est certes dû au hasard,
mais aussi aux conséquences de l'affaire des Brus
de 1314. En effet, Charles s'est alors séparé de sa
première épouse, enfermée dans le couvent de
Maubuisson. Il ne se remarie qu'en 1322, avec

Marie de Luxembourg dont il a un fils, Louis, en 1324. Mais l'enfant ne vit que quelques jours et Marie meurt des suites de l'accouchement.

Charles IV épouse ensuite Jeanne d'Évreux qui lui donne trois filles : Jeanne, morte très jeune, Marie et Blanche. Il n'y a donc plus de mâle en ligne directe et on ne peut plus faire hériter de fille. Il faut donc trouver une lignée collatérale, c'est-à-dire ayant un ancêtre parmi les anciens rois. Mais quelle lignée ? Une lignée exclusivement masculine ? Ou passant par les femmes ? Car si les femmes ne peuvent hériter, il n'est pas précisé qu'elles ne peuvent pas transmettre la couronne...

Les Valois

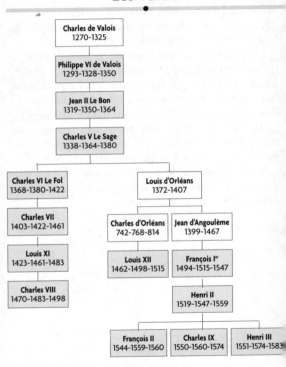

Charles de Valois
1270-1325

Philippe VI de Valois
1293-1328-1350

Jean II Le Bon
1319-1350-1364

Charles V Le Sage
1338-1364-1380

Charles VI Le Fol
1368-1380-1422

Charles VII
1403-1422-1461

Louis XI
1423-1461-1483

Charles VIII
1470-1483-1498

Louis d'Orléans
1372-1407

Charles d'Orléans
742-768-814

Jean d'Angoulème
1399-1467

Louis XII
1462-1498-1515

François Ier
1494-1515-1547

Henri II
1519-1547-1559

François II
1544-1559-1560

Charles IX
1550-1560-1574

Henri III
1551-1574-1583

En grisé ceux qui ont régné

Les Valois

•

La nouvelle dynastie est issue de Charles de Valois, fils de Philipppe III le Hardi et père de Philippe VI de Valois. Il s'agit donc d'une branche cadette des Capétiens.

Les Valois sont les héritiers les plus directs de la couronne si l'on passe par les hommes, mais Édouard III d'Angleterre est plus proche par les femmes. La nouvelle dynastie va donc justifier son pouvoir en se référant à la loi salique, censée interdire aux femmes de succéder. Les Valois, quoique contestés, vont en fait régner jusqu'en 1589.

Ce sont tout d'abord les Valois directs, jusqu'à Louis XI. Avec l'extinction de cette lignée, Louis XII, seul représentant de la dynastie des Valois-Orléans, arrive au pouvoir. Il descend de Louis Ier d'Orléans, fils cadet de Charles V, et meurt sans descendance mâle.

À partir de François Ier, les Valois-Angoulême se succèdent à la couronne : ils descendent du fils cadet de Louis Ier d'Orléans, Jean d'Angoulême.

La France des Valois connaît de terribles épreuves : la guerre de Cent Ans, qui dure en fait de

1337 à 1453, l'oppose à l'Angleterre ; la peste noire tue près de la moitié de la population après 1348 ; enfin, au XVIe siècle, les guerres de Religion opposent catholiques et protestants français en une sanglante guerre civile.

Pourtant, les Valois poursuivent l'œuvre de renforcement de l'État, qu'ils font entrer dans l'ère moderne, et jouent un rôle essentiel dans le développement de la Renaissance artistique : François 1er s'illustre ainsi comme un des plus grands mécènes de son temps.

PHILIPPE VI DE VALOIS (1293-1350)

Roi de France (1328-1350)

Épouses : Catherine de Courtenay, Jeanne de Bourgogne et Blanche de Navarre

Philippe est le fils de Charles de Valois, le troisième fils de Philippe III. À la mort de Charles IV le Bel, qui ne laisse aucun héritier mâle, se pose la question de la succession.

La reine Jeanne d'Évreux est enceinte ; c'est alors que, dans l'attente de l'accouchement, les barons du royaume désignent comme régent Philippe, le plus proche parent du roi Charles IV par les mâles. La reine ayant mis au monde une fille, Blanche, Philippe est proclamé roi et sacré le 29 mai 1328 à Reims. La loi salique n'a pas été invoquée.

On a choisi Philippe car il est un seigneur français et parce qu'à la mort de Louis X on avait déjà établi que les femmes ne pouvaient hériter de la couronne de France. Si elles ne peuvent hériter, elles ne peuvent pas non plus transmettre de droit à hériter à leur fils. Dès lors, le roi d'Angleterre Édouard III, descendant de Philippe IV par sa mère, est écarté.

« Qui m'aime me suive ! »

Cette expression est due à Philippe VI, peu après son acces-
sion au trône. Élu avec le soutien du comte de Flandre, le roi
renvoie aussitôt l'ascenseur à ce dernier en se chargeant de
mater une révolte des Flamands contre leur seigneur. Le nouveau roi déclare aux seigneurs français avant le combat : « Qui
m'aime me suive ! » Le but est de tester leur loyauté. Les seigneurs manifestent alors leur soutien à Philippe et le suivent
dans la bataille. La victoire est éclatante : les Flamands sont
vaincus lors de la bataille de Cassel le 24 août 1328.

Le royaume en péril

L'arrivée du premier Valois sur le trône s'ac-
compagne néanmoins d'une série de crises pour
la France. Dès 1337, le roi d'Angleterre Édouard III
revendique le trône de France : c'est le début de
la guerre de Cent Ans qui se poursuit jusqu'en 1453.
Les premières années sont dramatiques pour les
Français. En 1340, lors de la bataille de L'Écluse,
près de Bruges, la flotte française est anéantie.
En 1346, l'armée française est écrasée à Crécy. Le
roi est même blessé au combat.

L'année suivante, les Anglais prennent la ville
de Calais. Comble de malheur, la peste noire,
épidémie mortelle, parvient en France en 1348 :

elle décime en quelques années près de la moitié de la population.

Un roi contesté

Pour renforcer sa légitimité encore fragile, le roi tente de renouer avec la politique des anciens Capétiens : il met en place des ordonnances contre les *hérétiques** et nourrit un temps un projet de croisade. C'est également sous son règne que l'on développe l'idée que la loi salique, vieille coutume des Francs, interdirait aux femmes de succéder à la couronne de France. Enfin, pour faire accepter des mesures impopulaires, comme le recours à de nouvelles taxes, le roi réunit des représentants des *états généraux** du royaume ; mais ces derniers contestent de plus en plus sa politique et cherchent à la contrôler.

Les apports au domaine

Malgré ces crises, Philippe VI consolide le domaine royal ; en accédant à la royauté, Philippe VI apporte à la couronne ses propres terres : les comtés de Valois, de Chartres, du Maine et d'Anjou. Mais il agrandit également le domaine en achetant le Dauphiné et la ville de Montpellier en 1349.

JEAN II LE BON (1319-1364)

Roi de France (1350-1364)

Fils aîné de Philippe VI et de Catherine de Courtenay, Jean II est le second Valois à régner à la mort de son père. Roi chevalier, réputé pour sa bravoure, il fonde un ordre de chevalerie, l'ordre de l'Étoile. Son règne est cependant marqué par un nouvel affaiblissement de la couronne.

Un mauvais départ

Jean II se met vite à dos une partie des grands seigneurs : en 1350, il fait exécuter le *connétable** Raoul de Brienne pour pouvoir le remplacer par un homme plus soumis, Charles d'Espagne. Les mécontents se rassemblent autour de Charles de Navarre, gendre du roi, qui peut prétendre au trône par sa mère Jeanne, la fille de Louis X. La guerre éclate en 1354, lorsque Charles de Navarre fait assassiner Charles d'Espagne. Tantôt en paix avec le roi, tantôt allié aux Anglais, Charles de Navarre constitue un grave problème pour la Couronne jusque sous Charles V.

La défaite de Poitiers

Par ailleurs, la guerre se poursuit avec les Anglais. L'armée française est à nouveau écrasée lors de la bataille de Poitiers le 19 septembre 1356. La charge des chevaliers français est brisée par le tir des archers anglais. Le roi, qui a refusé de reculer pour respecter les statuts de l'ordre de l'Étoile, est fait prisonnier. Il sera désormais surnommé Jean le Bon, c'est-à-dire le brave.

Un prisonnier royal

Le roi est loin de Paris, centre du pouvoir laissé à son fils, le dauphin Charles, qui fait face à une forte opposition. À Londres, Jean II négocie un traité de paix avec le roi d'Angleterre. Un premier traité, trop généreux pour les Anglais, est rejeté en 1359 par le Dauphin. Mais en 1360 Jean II lui impose d'accepter un nouvel accord : le traité de Brétigny, qui prévoit la rançon colossale de 3 millions d'écus d'or et cède un tiers du royaume aux Anglais. Le roi est libéré, laissant un frère et deux fils comme otages.

En France, Jean II hérite en 1361 du duché de Bourgogne qu'il donne en *apanage** à son fils Philippe : ce dernier l'avait accompagné à Poitiers

puis en Angleterre. Le roi doit en outre faire face
aux compagnies, soldats démobilisés par la paix
et qui ravagent le royaume.

En janvier 1364, afin de négocier le sort des
otages restés en Angleterre, Jean II se rend à
Londres. Il y meurt le 8 avril 1364.

CHARLES V LE SAGE (1338-1380)

Roi de France (1364-1380)

Épouse : Jeanne de Bourbon

Une jeunesse mouvementée

Fils de Jean II et de Bonne de Luxembourg,
Charles est le premier héritier de la couronne à
recevoir le titre de dauphin, en 1349, et devient
en 1355 duc de Normandie. Surtout, il dirige le
gouvernement du royaume de 1356 à 1360 et
doit faire face aux *états généraux** réunis pour
payer la rançon, tentant de mettre la monarchie
sous tutelle avec l'aide des Parisiens révoltés que
dirige Étienne Marcel. Alliés au roi de Navarre, les
insurgés contestent l'autorité de Charles, qui quitte
Paris en 1358.

Mais la *jacquerie** qui éclate alors, et trouve
un soutien auprès des Parisiens, jette la noblesse

et Charles de Navarre dans le camp du roi et du Dauphin, qui triomphe des rebelles.

La reconquête

Après avoir été écarté des négociations de paix, Charles hérite en 1364 d'un royaume diminué du tiers. Mais il mène une reconquête efficace, avec l'aide d'un légendaire *connétable**, Du Guesclin, qui lui apporte sa première victoire en 1364 contre le roi de Navarre. Bertrand du Guesclin conduit également en Castille les compagnies, ces bandes de soldats qui ravagent le pays, contre le roi Pierre le Cruel qui est détrôné. Les places anglaises sur le sol français sont reconquises peu à peu, en évitant les batailles frontales. Technique payante : en 1380, les Anglais ne disposent plus que de Calais et d'une frange littorale courant de Bordeaux à Bayonne.

Le roi philosophe

À l'inverse de son père, roi chevalier, Charles V laisse l'image d'un roi philosophe. Entouré d'intellectuels, il leur commande des traductions d'Aristote (la Politique) et fonde la bibliothèque du Louvre. Roi bâtisseur, il réaménage le Louvre, rebâtit Vincennes, édifie la Bastille et construit un palais dans Paris, l'hôtel Saint-Pol.

Il renforce surtout la monarchie, assurant l'instauration d'un impôt permanent géré par le roi – et non par les *états généraux** – réorganise l'armée et l'administration. Mais il ne peut pas empêcher l'apparition du grand schisme en 1378 : deux papes sont alors élus, l'un à Avignon et l'autre à Rome, divisant l'Église catholique.

Sur son lit de mort, Charles V abolit une partie des impôts, considérant la guerre comme achevée.

CHARLES VI LE FOU (1368-1422)

Roi de France (1380-1422)

Épouse : Isabeau de Bavière

Charles VI, fils de Charles V et de Jeanne de Bourbon, hérite du royaume à l'âge de 12 ans. Il doit subir le gouvernement de ses oncles, les ducs de Bourgogne, de Berry, de Bourbon et d'Anjou, qui se disputent les ressources du trésor royal et font face à des révoltes lorsqu'ils rétablissent les impôts (révolte des Tuchins dans le Languedoc ou des Maillotins à Paris).

Ils sont également amenés à écraser une

révolte des Flamands lors de la bataille de Rosebeke en 1382. Des trêves provisoires sont signées avec l'Angleterre. En 1388, Charles VI écarte ses oncles et s'entoure de conseillers dévoués, les Marmousets, mais il succombe en 1392 à une violente crise de folie, dans la forêt du Mans.

Armagnacs et Bourguignons

Les crises de démence du roi, de plus en plus fréquentes, le rendent souvent incapable de gouverner. Les parents du roi se disputent alors le pouvoir, vite relayés par leurs héritiers : leur rivalité effrénée entraîne en 1407 l'assassinat du frère du roi, Louis d'Orléans, par le duc de Bourgogne Jean sans Peur, fils de Philippe, l'oncle de Charles VI. S'ensuit une guerre civile pour le contrôle de la monarchie : d'un côté les Armagnacs, partisans du fils de Louis, Charles d'Orléans, et de l'autre les Bourguignons.

Chaque camp prend à tour de rôle le contrôle de Paris et du roi, qui emploie ses rares instants de lucidité à tenter de réconcilier les Français divisés. En vain.

La France aux mains d'Henri V d'Angleterre

Profitant de cette guerre civile, le roi d'Angleterre Henri V envahit le royaume en 1415, année où il écrase les Français à Azincourt et conquiert la Normandie.

En 1419, l'assassinat du duc de Bourgogne Jean sans Peur conduit son fils Philippe le Bon à s'allier aux Anglais. Le traité de Troyes, imposé en 1420 à un roi fou par Philippe et Henri V, déshérite le dauphin Charles, au profit d'Henri V, reconnu héritier de Charles VI dont il épouse la fille Catherine. Mais en 1422 Henri V meurt, peu de temps avant Charles VI, qui a fini sa vie reclus dans l'hôtel Saint-Pol.

La France se retrouve avec deux héritiers : Henri VI, fils d'Henri V, encore enfant, et Charles VII, fils de Charles VI, réfugié à Bourges.

CHARLES VII (1403-1461)

Roi de France (1422-1461)
Épouse : Marie d'Anjou

Devenu Dauphin à la mort de son frère Jean, en 1417, Charles a fui Paris en 1418 face aux Bourguignons et s'est retiré dans son *apanage** de Berry et de Poitou. Il est déshérité en 1420 par le traité de Troyes. Depuis sa capitale, Bourges, il tente de reconstituer un gouvernement parallèle, combattant à la fois le roi d'Angleterre et le duc de Bourgogne. À la mort de son père, il se proclame roi de France mais sa position est fragile. Il n'a pas été sacré, n'est reconnu qu'au sud de la Loire et doit reconquérir son royaume face à des ennemis puissants : les Anglais et les Bourguignons lui infligent une sévère défaite à Verneuil, en 1424, et assiègent Orléans en 1428.

Jeanne d'Arc

C'est dans cette situation que le trouve une jeune fille de 17 ans, Jeanne d'Arc. Elle se rend à Bourges en 1429, le reconnaît sans l'avoir jamais vu et lui affirme que des voix lui ont ordonné de délivrer Orléans, de faire sacrer Charles et de bouter les Anglais hors de France. Elle redynamise le camp français, alors démoralisé, réussit à faire lever le siège d'Orléans et conduit Charles à Reims, où il est sacré en 1430. Jeanne, jalousée à la Cour, échoue dans ses tentatives ultérieures et est faite prisonnière à Compiègne par les Bourguignons. Jugée et condamnée au bûcher par l'évêque

Cauchon, brûlée par les Anglais en 1431 sans que
Charles VII cherche à la délivrer, elle a cependant
lancé un mouvement de reconquête pour la France.

La reconstruction du royaume

Le tournant de la guerre intervient en 1435 :
par le traité d'Arras, le duc de Bourgogne Philippe
le Bon renonce à l'alliance anglaise. L'année suivante, Paris est repris par Charles VII. En 1450,
la Normandie est conquise et, en 1453, la guerre
de Cent Ans s'achève par la victoire de Castillon,
près de Bordeaux. Mais ces victoires ne sont pas
dues au seul élan de Jeanne d'Arc. Les conseillers
du roi ont en effet conduit un important programme
de renforcement de l'autorité monarchique :
Charles VII impose sa tutelle à l'Église de France,
par la Pragmatique Sanction de Bourges en 1438,
et mate les princes qui se sont révoltés en 1440
lors de la Praguerie, dirigée par son fils, le futur
Louis XI.

D'importantes réformes marquent le règne de
Charles VII, bien qu'il n'en soit pas nécessairement l'artisan, car on le dit influençable. Jacques
Cœur, son grand argentier, rétablit les finances,
tout en s'enrichissant. L'armée est profondément

transformée en 1445, pour devenir une armée permanente et un outil efficace de reconquête.

LOUIS XI (1423-1483)

Roi de France (1461-1483)

Épouses : Marguerite Stuart et Charlotte de Savoie

Louis, fils aîné de Charles VII et de Marie d'Anjou, fait partie de ces princes impatients qui durent attendre longtemps la mort de leur père pour régner. Il tente une première fois, en 1440, de défier l'autorité paternelle. S'étant sagement soumis, il obtient le Dauphiné, qu'il perd en 1452 à la suite d'une nouvelle révolte. Il se réfugie alors auprès de Philippe le Bon, duc de Bourgogne, qu'il quitte lorsqu'il devient roi, en 1461.

Face aux *féodaux**

La fin de la guerre de Cent Ans n'apporte pas la paix. Les grands seigneurs, avec à leur tête le puissant duc de Bourgogne, ainsi que Charles de Berry, frère du roi, cherchent en effet à contester la tutelle royale. En 1465, une Ligue du bien public est ainsi constituée contre Louis XI, qui doit faire des concessions aux *féodaux**, concessions vite remises en cause. Une nouvelle ligue est constituée et Louis XI, attiré à Péronne par Charles le Téméraire, duc de Bourgogne depuis la mort de son père Philippe le Bon en 1467, est fait prisonnier et doit se soumettre à des conditions humiliantes. Mais progressivement Louis XI parvient habilement à isoler son adversaire : il fait des concessions à l'un des révoltés, son frère, qui reçoit la Guyenne et élimine plusieurs seigneurs comme le duc de Nemours, exécuté en 1472.

À la mort du duc de Bourgogne, en 1477, Louis XI cherche à s'emparer de ses terres et entre en lutte avec Maximilien d'Autriche, époux de Marie de Bourgogne, l'héritière du Téméraire. Ce conflit, réglé par le traité d'Arras en 1482, laisse à Louis XI le duché de Bourgogne, le comté de Boulogne et les villes de la Somme. En 1483, Louis hérite enfin de la Provence, du Maine, de l'Anjou et du comté de Bar.

« L'universelle araignée »

C'est de l'habileté diplomatique avec laquelle Louis XI sut se tirer des ligues successives constituées contre lui que vient sans doute l'image d'un roi calculateur, manipulateur, amenant ses adversaires à s'empêtrer dans sa toile. La légende noire d'un homme cruel, enfermant ses prisonniers dans des cages, n'est qu'un des aspects de sa personnalité. Louis XI est un grand roi qui réorganise l'administration et accroît les finances par des impôts très lourds, laissant le royaume plus fort et renforçant les relations entre la monarchie et la papauté.

CHARLES VIII (1470-1498)

Roi de France (1483-1498)

Épouses : Marguerite d'Autriche et Anne de Bretagne

Charles est un garçon fragile, âgé d'à peine 13 ans lorsqu'il hérite du royaume. Mais son père, Louis XI, a pris soin de confier la *régence** du royaume à Anne de Beaujeu, la sœur aînée de Charles. La disparition du roi entraîne une forte contestation du pouvoir royal. Anne de Beaujeu réunit les *états généraux** en 1484 et doit combattre les grands seigneurs au cours de la « Guerre folle », de 1485 à 1487. La grande réalisation de la régente est cependant le mariage entre Charles VIII et la duchesse Anne de Bretagne : après avoir cassé l'union de Charles et de Marguerite d'Autriche, Anne de Beaujeu met fin à l'indépendance du duché breton par le traité de Rennes, en 1491.

Le rêve italien

En 1491, Charles VIII prend en main l'exercice du pouvoir. Son objectif principal devient la conquête du royaume de Naples, qu'il réclame au nom de l'héritage des Anjou. Afin d'assurer ses arrières, Charles doit d'abord signer la paix avec ses anciens rivaux : il restitue le Roussillon au roi d'Aragon, l'Artois et la Franche-Comté aux Habsbourg.

En 1495, Charles VIII entre dans Naples mais voit se dresser aussitôt contre lui une vaste alliance : l'empereur Maximilien, Ferdinand le Catholique et le pape s'unissent contre lui par la « ligue de Venise ». Charles abandonne l'Italie, qu'il parvient à évacuer après la victoire de Fornoue, le 6 juillet 1495. Le royaume de Naples est par la suite rapidement conquis par les Espagnols. Si ces premières guerres d'Italie sont un échec, les nombreuses œuvres d'art que Charles VIII rapporte de ce voyage en Italie jouent un rôle important dans la diffusion et l'implantation de la Renaissance en France.

Alors qu'il prépare une nouvelle expédition italienne, le roi meurt d'un accident en 1498. Ses fils étant morts en bas âge, il laisse le royaume à son cousin Louis d'Orléans : c'est la fin du règne des Valois directs.

LOUIS XII (1462-1515)

Roi de France (1498-1515)

Épouses : Jeanne de France et Anne de Bretagne

Louis est le fils de Charles d'Orléans, lui-même fils de Louis d'Orléans, qui était le fils cadet de Charles V. Il a d'abord combattu la régente Anne de Beaujeu lors de la « Guerre folle » et a été fait prisonnier de 1488 à 1491, avant de participer aux guerres d'Italie. En 1498, il hérite du trône de Charles VIII et épouse sa veuve Anne de Bretagne, avant de s'engager à son tour dans les guerres d'Italie. Il réclame l'héritage de Milan au nom de sa grand-mère Valentine Visconti.

De 1499 à 1513, il mène trois campagnes : il conquiert tout d'abord le duché de Milan et fait prisonnier le duc Ludovic Sforza, enfermé à Loches, avant de se lancer à la conquête du royaume de Naples avec l'aide de Ferdinand d'Aragon.

De nouveau, une alliance entre l'Angleterre, l'Espagne, le Saint Empire et Venise, la « Sainte Ligue », chasse les Français d'Italie. La déroute est complète en 1513, la France est même envahie par les Anglais et les Suisses. Malgré ces échecs, Louis XII est très populaire en France, où il acquiert le surnom de « père du peuple ». Cette cote d'amour est sans doute due à d'habiles baisses d'impôt (le roi s'étant enrichi en Italie) et à d'importantes réformes de la justice, simplifiée notamment par la codification des coutumes. Mais, une fois de plus le roi meurt sans héritier mâle : François Ier, qui est son gendre et son cousin, lui succède en 1515.

FRANÇOIS Ier (1494-1547)

Roi de France (1515-1547)

Épouses : Claude de France et Éléonore d'Autriche

Lointain cousin de Louis XII par son père Charles d'Angoulême, François Ier est affilié aux Valois par son arrière-grand-père, Louis d'Orléans, le fils de Charles V. Sa légitimité a surtout été renforcée par son mariage avec la fille du roi, Claude de France, qui lui apporte également l'héritage des duchés de Bretagne et de Milan.

Marignan : 1515

Héritier du duché de Milan, François Ier reprend la politique italienne de Louis XII : l'éclatante victoire de Marignan sur les Suisses la conquête du Milanais le couvrent de gloire dès 1515. En 1516, les Suisses s'engagent par la paix perpétuelle à ne plus jamais attaquer la France ou Milan.

Charles Quint, un adversaire à la mesure de François Ier

En 1519, Charles, héritier des ducs de Bourgogne et des Habsbourg, roi d'Espagne, devient également empereur d'Allemagne : la France semble encerclée par un adversaire surpuissant. François 1er cherche tout d'abord l'alliance d'Henri VIII d'Angleterre, au cours de la fastueuse entrevue du camp du Drap d'or en 1520. Cet échec diplomatique précipite la guerre avec Charles Quint, d'abord victorieux. François Ier est trahi par le *connétable** de Bourbon en 1523, puis subit en 1524 la défaite de la Sesia, au cours de laquelle meurt le fidèle Bayard, chevalier « sans peur et sans reproche ».

En 1525, François Ier est même capturé à la bataille de Pavie et enfermé à Madrid. Il doit y signer un traité désastreux, abandonnant la Flandre, l'Artois, Milan, Naples et la Bourgogne. Mais, il est libéré en 1526 et refuse d'appliquer ce traité. Formant la ligue de Cognac avec Venise, Milan et le pape, il tente une reconquête italienne. Un compromis est signé à la paix des Dames en

1529. Charles Quint renonce à la Bourgogne, François Ier à l'Italie.

Mais François Ier tisse rapidement de nouvelles alliances avec les princes allemands protestants en 1531, puis avec les Turcs par les capitulations de 1536 : cette union contraire aux principes catholiques choque alors les esprits mais lui apporte un soutien précieux, dans la guerre qui reprend et qui demeure longtemps indécise. Malgré la victoire de 1544 à Cérisoles, François Ier renonce à sa *suzeraineté** sur l'Artois et la Flandre, et abandonne Milan à Charles Quint. C'est sur ce bilan très mitigé pour la France que s'achève l'affrontement des deux souverains.

L'affirmation de la monarchie absolue

Le programme de politique intérieure de François Ier est plus durable. La noblesse est progressivement « domestiquée » à la cour du roi, le dernier grand féodal, le *connétable** de Bourbon, voit ses biens confisqués après sa trahison. L'Église de France est placée sous l'autorité du roi à la suite du concordat de Bologne, signé avec le pape en 1516. Après avoir toléré le protestantisme, le roi durcit la persécution après 1534.

Enfin, l'administration est renforcée et réformée : en 1539, par l'ordonnance de Villers-Cotterêts, le roi impose le français comme langue administrative unique pour le royaume.

François Iᵉʳ, prince de la Renaissance

François Iᵉʳ incarne mieux que tout autre le prince de la Renaissance. D'une taille imposante, François Iᵉʳ était un chasseur infatigable qui aimait également pratiquer le jeu de paume, ancêtre du tennis. Grand séducteur et habile parleur, on lui prête de nombreuses maîtresses : la comtesse de Chateaubriand et la duchesse d'Étampes en sont les plus illustres. Surtout, il participe à l'essor de la Renaissance par son rôle de mécène.

En 1530, il fonde le Collège des lecteurs royaux, ancêtre du Collège de France, et met en place l'Imprimerie royale en 1539. Il attire à la Cour des artistes italiens de renom, comme Benvenuto Cellini et surtout Léonard de Vinci. C'est enfin un roi bâtisseur : il fait construire Chambord puis, après son retour d'Espagne, en 1526, il s'établit en Île-de-France : les châteaux de Madrid, au bois de Boulogne, de Saint-Germain-en-Laye, et surtout de Fontainebleau sont érigés, définissant un style

Renaissance propre à la France, style qui trouve son achèvement dans la reconstruction du Louvre par Pierre Lescot. Il ne faut cependant pas surévaluer le raffinement de la Cour. On sait que les Italiens qui dînaient à la table du roi étaient horrifiés par les mauvaises manières des Français…

HENRI II (1519-1559)

Roi de France (1547-1559)

Épouse : Catherine de Médicis

Second fils de François Iᵉʳ et de Claude de France, il est fait dauphin en 1536 à la mort de son frère François et devient roi en 1547. Henri II consacre rapidement son énergie à la lutte contre les protestants, sous l'influence de sa maîtresse Diane de Poitiers.

Les édits de Châteaubriant (1552) et d'Écouen (1559) sont très répressifs. Henri II cherche également à renforcer le pouvoir monarchique ; il crée notamment des secrétaires d'État, chargés du gouvernement central.

La guerre contre Charles Quint

Le grand ennemi est toujours la maison de

Habsbourg. Face à l'empereur Charles Quint, la guerre éclate en 1552. Metz, Toul et Verdun (les trois Évêchés de Lorraine) sont conquis aussitôt.

Si la contre-attaque de Charles Quint échoue en France, Sienne, en Italie, est perdue. Après une courte trêve, Charles Quint s'allie aux Anglais et bat les Français à Saint-Quentin, en 1557. Mais François de Guise prend la ville anglaise de Calais. Le traité signé en 1559 au Cateau-Cambrésis met fin aux hostilités et conserve à la France les trois évêchés et Calais, en échange d'un renoncement à Milan.

L'alliance est scellée par le mariage d'Élisabeth, fille d'Henri II, et de Philippe d'Espagne. Lors d'une joute donnée en l'honneur de cette union, le roi meurt d'une blessure à l'œil.

Catherine de Médicis, mère de trois rois

Princesse florentine sans grande fortune, Catherine de Médicis épouse Henri II. Peu séduisante, parlant mal le français, elle va connaître un destin exceptionnel. Après la mort accidentelle de son mari, cette reine toujours habillée en noir gouverne le royaume au nom de ses fils pendant près de trente ans. Elle donne dix enfants à Henri II, dont François II, Charles IX et Henri III qui règnent successivement sur la France.

FRANÇOIS II (1544-1560)
Roi de France (1559-1560)
Épouse : Marie Stuart

François II est le fils aîné d'Henri II, auquel il succède à l'âge de 15 ans. La *régence** est confiée à sa mère, qui s'en remet aux Guises, les oncles de Marie Stuart.

François et Charles de Guise mènent une politique très répressive contre les protestants, qui répliquent et tentent en 1560 d'enlever le roi ; mais leur complot, la conjuration d'Amboise, est trahi et les chefs sont tués. S'ensuit une terrible vague d'exécutions menée par les Guises. Le roi, malade, meurt sans héritier.

CHARLES IX (1550-1574)
Roi de France (1560-1574)
Épouse : Élisabeth d'Autriche

Charles est le troisième fils d'Henri II (le second fils, Louis, est mort en bas âge dès 1550). Il succède à son frère François II à l'âge de 10 ans.

Sa mère, Catherine de Médicis, assure de nouveau la *régence** et conserve au cours du règne une influence primordiale. Elle tente d'abord de réconcilier catholiques et protestants, sous les conseils du chancelier Michel de L'Hospital. Cette politique échoue : en 1562, à Wassy, en Champagne, des protestants sont massacrés, le début des guerres de Religion.

Les tentatives d'apaisement, comme l'édit de pacification d'Amboise, en 1563, ou l'édit de Saint-Germain-en-Laye, en 1570, ne mettent pas fin au conflit, mené pour les protestants par l'amiral de Coligny, et pour les catholiques par les Guises. Coligny est jugé dangereux par Catherine de Médicis en raison de son influence auprès du roi : elle décide de dissimuler son assassinat en faisant tuer tous les protestants de Paris. C'est le massacre de la Saint-Barthélémy, le 24 août 1572, massacre qui donne le signal de nouvelles tueries en province. Certes, le bilan du règne n'est pas totalement négatif. Michel de L'Hospital parvient aussi à renforcer le pouvoir monarchique par l'ordonnance de Moulins, en 1566 : il réorganise la justice en renforçant l'autorité royale. Mais Charles IX, atteint de phtisie, s'éteint en 1574 en laissant un royaume meurtri.

HENRI III (1551-1589)

Roi de France (1574-1589)

Épouse : Louise de Vaudrémont-Lorraine.

Henri III est le troisième fils d'Henri II et de Catherine de Médicis appelé à régner. D'abord duc d'Anjou puis d'Orléans, il avait été élu roi de Pologne en 1573 grâce à l'influence de sa mère. Mais il doit quitter ce trône pour celui de France à la mort de son père.

Malgré son intelligence, Henri III fut un roi discrédité. Resté sous l'influence de sa mère, il est également critiqué pour son homosexualité et pour la place trop grande qu'il accorde à ses favoris, les « mignons », comme Épernon ou Joyeuse. Amateur de luxe et de fêtes, il fait de la Cour un milieu brillant.

La guerre des trois Henri

Au lendemain de la Saint-Barthélemy, Henri III adopte une politique de persécution avant de signer avec les protestants la paix de Monsieur, en 1576. C'est alors que se forme un parti ultra catholique appelant à poursuivre la lutte : la Ligue, dirigée par Henri de Guise.

La Ligue poursuit la guerre et impose le traité de Nérac, bien moins favorable aux protestants. Le conflit dégénère en 1584, à la mort du dernier fils d'Henri II, le duc d'Alençon. Henri III n'ayant pas de fils, la couronne doit désormais passer à Henri de Navarre, prince protestant.

Éclate alors la guerre des trois Henri : les royalistes soutiennent Henri III, les ultra catholiques et la Ligue défendent Henri de Guise, et les protestants se rangent aux côtés d'Henri de Navarre. La Ligue semble l'emporter et chasse le roi de Paris lors de la journée des Barricades en 1588. Mais Henri III fait assassiner Henri de Guise.

La Ligue est encore affaiblie par l'alliance d'Henri III avec Henri de Navarre, qui est reconnu comme légitime héritier : les deux Henri survivants préparent alors le siège de Paris quand le moine Jacques Clément, défenseur de la Ligue, assassine Henri III.

Les Bourbons

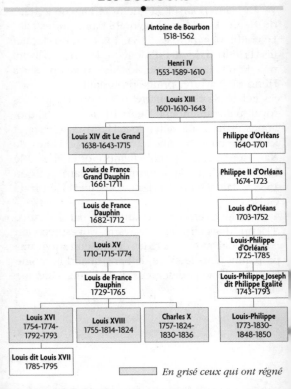

Antoine de Bourbon
1518-1562

Henri IV
1553-1589-1610

Louis XIII
1601-1610-1643

Louis XIV dit Le Grand
1638-1643-1715

Philippe d'Orléans
1640-1701

**Louis de France
Grand Dauphin**
1661-1711

Philippe II d'Orléans
1674-1723

**Louis de France
Dauphin**
1682-1712

Louis d'Orléans
1703-1752

Louis XV
1710-1715-1774

**Louis-Philippe
d'Orléans**
1725-1785

**Louis de France
Dauphin**
1729-1765

**Louis-Philippe Joseph
dit Philippe Égalité**
1743-1793

Louis XVI
1754-1774-
1792-1793

Louis XVIII
1755-1814-1824

Charles X
1757-1824-
1830-1836

Louis-Philippe
1773-1830-
1848-1850

Louis dit Louis XVII
1785-1795

En grisé ceux qui ont régné

Les Bourbons

•

L'arrivée d'Henri IV sur le trône marque l'avènement d'une nouvelle dynastie, issue de Robert de Clermont, sixième fils de Saint Louis, qui épousa Béatrice de Bourgogne-Bourbon. Il faut donc remonter trois siècles et neuf générations pour trouver un ancêtre royal dans cette dynastie, désormais implantée dans le Bourbonnais. Mais Henri IV est bien l'héritier le plus direct en lignée masculine : sa désignation est la conséquence logique de l'application de la loi salique.

Apogée et chute de la monarchie absolue

Cette nouvelle dynastie achève le processus de constitution d'une monarchie absolue et centralisée dans laquelle le roi détient tous les pouvoirs au nom de Dieu. Forts de cette concentration de puissance, les Bourbons font de la France la nation dominante de l'Europe et lui assurent un rayonnement et un prestige inégalés.

Le règne de Louis XIV, le Roi-Soleil, marque l'aboutissement de cette construction. Mais les mécontents sont nombreux : au sein de l'aristocratie, spoliée de son pouvoir ; au sein de la bourgeoisie, qui demeure en grande partie à l'écart des affaires ; enfin au sein du peuple constamment pressuré par l'impôt, et à la merci de la moindre crise agricole. Surtout, les derniers Bourbons ne parviennent pas à moderniser les finances de l'État par la mise en place d'un impôt universel qui toucherait aussi les privilégiés et serait capable de supporter une politique extérieure ambitieuse. Ils refusent en outre d'accorder une place suffisante aux représentants du pays.

La monarchie absolue et les Bourbons sont affaiblis par la Révolution française, en 1789, avant d'être détrônés par la création de la Ire République en 1792. Le roi lui-même est décapité en 1793 par les révolutionnaires. La défaite de Napoléon permet aux frères de Louis XVI de revenir au pouvoir de 1815 à 1830, avant qu'une nouvelle révolution ne mette un terme à leur règne.

Que reste-t-il des Bourbons ?

Le dernier Bourbon de France, le comte de Chambord, est mort en 1883. Mais les Bourbons d'Espagne, installés au début du XVIIIe siècle sur le trône d'Espagne par Louis XIV, règnent toujours à l'heure actuelle, en la personne de Juan Carlos.

Par ailleurs, les prétendants actuels à la couronne de France appartiennent à la dynastie des Bourbons-Orléans. Ils descendent de Philippe d'Orléans, qui était un Bourbon, en tant que frère de Louis XIV, et dont le descendant, Louis-Philippe, remplaça le dernier Bourbon direct en 1830.

HENRI IV, DIT « LE VERT GALANT » (1553-1610)

Roi de France (1589-1610)

Épouses : Marguerite de Valois (la reine Margot) et Marie de Médicis

Fils d'Antoine de Bourbon et de Jeanne d'Albret, Henri est né à Pau, son éducation est celle d'un jeune noble du Béarn, loin des raffinements de la Cour.

Vers la fin des guerres de Religion

Fortement marqué par le calvinisme de sa mère, il devient à 16 ans l'un des chefs du parti protestant : sa vie est ponctuée de phases de combat contre les catholiques et de trêves.

En 1572, il épouse Marguerite de Valois, sœur du roi, afin de sceller la réconciliation des catholiques et des protestants. Mais la Saint-Barthélemy, au cours de laquelle Henri est forcé d'abjurer sa foi, change la donne : il est placé sous surveillance à la cour du roi, puis s'échappe en 1576 pour rejoindre la tête des armées protestantes. En 1584, coup de théâtre : Henri de Navarre devient l'héritier de la couronne à la mort du duc d'Anjou, dernier fils d'Henri II. Pendant la guerre des Trois Henri, il combat les armées royales avant de s'allier à Henri III. Le roi et son successeur entament le siège de Paris, aux mains de la Ligue catholique, lorsque le roi est assassiné.

C'est donc désormais Henri IV qui règne sur un pays qu'il lui reste pourtant à conquérir ! Le siège de Paris échoue, à cause du soutien des Espagnols aux ligueurs. Mais peu à peu la Ligue se divise : beaucoup refusent de combattre pour servir les intérêts de Philippe II d'Espagne, qui aimerait voir sa fille Isabelle devenir souveraine de France ; en outre, la France est lasse des divisions. Et surtout Henri a ce trait de génie : le 25 juillet 1593, à Saint-Denis, il renonce au calvinisme et rejoint la foi catholique. C'est alors qu'il aurait déclaré : « Paris vaut bien une messe… »

Le 27 février 1594, ne pouvant atteindre Reims, le roi est sacré à Chartres. Le 22 mars, Henri IV fait son entrée à Paris : il doit désormais mater les derniers ligueurs, et surtout mettre fin à la présence espagnole en France. La victoire de Fontaine-Française en 1595 marque le début d'une difficile reconquête, achevée par le trait de Vervins en 1598.

L'édit de Nantes

Le 13 avril 1598, Henri IV rétablit la paix religieuse en proclamant l'édit de Nantes qui reconnaît la religion catholique comme religion d'État, et accorde aux protestants des privilèges : une centaine de places de sûreté, où ils peuvent se réfugier, des lieux de culte et l'égalité civile. Trente années de guerre civile s'achèvent enfin.

La reconstruction de la France

Désormais assuré de son pouvoir, Henri IV a la charge de remettre sur pied une France meurtrie. Hormis une courte guerre contre la Savoie en 1610, qui rapporte au royaume le Bugey, la Bresse et le pays de Gex, Henri IV ne mène pas une politique extérieure agressive. Il cherche surtout à reconstruire le pays. Il s'appuie en particulier sur le Conseil du roi, divisé en sections dont les principales sont le Conseil des Affaires et le Conseil privé. Il contrôle également les *officiers** locaux en envoyant de Paris des maîtres des requêtes : c'est le principe de l'absolutisme royal qui l'emporte. En 1602, 1604 et 1606, trois complots pilotés par l'Espagne sont déjoués et leurs auteurs sévèrement punis.

Mais le projet de reconstruction touche surtout l'économie. Sully, à la tête des finances, est le plus fidèle serviteur du roi. Il redresse les finances en combattant les détournements de fonds, rétablit plus équitablement l'impôt et impose une gestion du budget à long terme en dressant un état prévisionnel des dépenses et des recettes.

S'appuyant sur les réflexions de l'agronome Olivier de Serres, il favorise le développement de l'agriculture en faisant assécher des marécages, notamment dans le Marais poitevin. Après lui, Barthélémy de Laffemas défend une politique mercantiliste : il vaut mieux produire dans le pays plutôt que d'importer en faisant sortir l'or et l'argent du pays. Des manufactures de luxe sont donc implantées, comme les tapisseries des Gobelins.

Henri IV, la poule au pot et le Vert Galant

Henri IV est sans doute le roi le plus populaire. Peu intéressé par la vie de cour, plein d'humour, un peu rustique mais paternel avec son peuple, on garde de lui le souvenir de celui qui recommanda de « mettre une poule au pot » chaque dimanche. Pourtant, sa tolérance religieuse et sa politique économique lui valurent de nombreuses critiques qui ne disparurent qu'au XVIIIe siècle. C'est surtout en tant que « Vert Galant », c'est-à-dire séducteur infatigable, qu'Henri IV s'est illustré : outre Gabrielle d'Estrées et Henriette d'Entragues, ses plus célèbres maîtresses, la liste de ses conquêtes est longue et sa descendance illégitime nombreuse. Mais Henri IV reconnaît nombre de ses bâtards. En revanche, il ne supporte pas une telle indépendance chez les femmes : sa première épouse, la reine Margot, connue pour ses complots et ses amants, est finalement répudiée en 1599. Enfin, signe du fait que le roi restait très impopulaire pour nombre d'ultra catholiques, il meurt assassiné à Paris par un fanatique, Ravaillac, peut-être manipulé par l'Espagne.

LOUIS XIII (1601-1643)

Roi de France (1610-1643)

Épouse : Anne d'Autriche

À la mort de son père Henri IV, Louis devient roi. Il n'a que 9 ans. C'est donc sa mère, Marie de Médicis, qui assure la *régence**, conseillée par Concini. Mais en 1617 Louis XIII fait assassiner Concini et laisse le pouvoir à son favori Luynes, qui a participé au complot. Marie de Médicis se met alors à la tête d'une révolte des grands seigneurs, mais est battue aux Ponts-de-Cé, près d'Angers, en 1620.

Un ministre fidèle à son roi

À la mort de Luynes en 1621, Richelieu devient le ministre le plus influent : il réconcilie Marie et Louis XIII, puis gouverne durant tout le règne. Il est à l'origine des grandes orientations politiques : c'est ainsi lui qui choisit l'alliance avec les princes protestants allemands contre la puissance catholique des Habsbourg d'Espagne et d'Autriche.

Il renforce également le pouvoir monarchique en mettant en place des intendants dans les provinces et en levant des impôts très lourds sur les paysans. Les tentatives de révolte, comme celle des croquants en 1637, sont violemment réprimées. Richelieu relance enfin le combat contre les protestants français, dont il veut réduire les privilèges. Le siège de leur principale place forte, La Rochelle, est victorieux, mais au prix de 15 000 morts parmi les assiégés. En 1629, ce sont les protestants du Sud-Est qui sont vaincus lors de la campagne d'Alès.

Un roi fidèle à son ministre

Cela ne signifie pas pour autant que Louis XIII est dépossédé du pouvoir : c'est uniquement grâce à son soutien que Richelieu peut se maintenir face aux complots menés par Marie de Médicis, Gaston d'Orléans, frère du roi, et Anne d'Autriche. En 1630, lors de la journée des Dupes, les opposants de Richelieu avaient ainsi cru obtenir du roi malade le renvoi du ministre.

Mais Louis XIII changea d'avis après une entrevue avec Richelieu et se chargea de punir les comploteurs. De nouveau, en 1632, c'est Louis XIII qui fait exécuter le maréchal de Marillac et le duc de Montmorency à la suite d'une nouvelle conspiration.

Avant sa mort, en 1642, Richelieu recommande au roi un conseiller italien, Mazarin, qui lui succède. Mais le roi ne survit à son ministre que quelques mois et s'éteint le 14 mai 1643.

LOUIS XIV DIT LOUIS LE GRAND (1638-1715)

Roi de France (1643-1715)

Épouses : Marie-Thérèse d'Autriche et Françoise d'Aubigné, marquise de Maintenon

Louis XIV succède à son père Louis XIII à l'âge de 5 ans, en 1643. La *régence** est assurée par sa mère, Anne d'Autriche, jusqu'en 1651, année de sa majorité. Elle s'appuie sur le ministre Mazarin, qui dirige en fait le royaume jusqu'à sa mort en 1661. Les premières années de règne sont marquées par la douloureuse épreuve de la Fronde : le *Parlement** de Paris ainsi que la noblesse contestent l'autoritarisme de Mazarin et se révoltent avec l'appui de l'Espagne.

En 1649, Paris se couvre de barricades et le roi doit fuir à Saint-Germain-en-Laye. En 1652, la révolte est matée par Turenne ; le roi et sa mère regagnent Paris. Louis XIV se souviendra toujours de cette épreuve originelle : il se tiendra à l'écart de Paris et mettra tout en œuvre pour réduire la puissance des nobles et du *Parlement**.

On trouve là l'origine de sa politique absolutiste et l'explication du développement de Versailles,

lieu de « domestication » de l'aristocratie à l'écart
de Paris.

1661-1715 : le gouvernement personnel de Louis XIV

À la mort de Mazarin, le roi déclare qu'il gou-
vernera directement. Il s'appuie pour cela sur le
Conseil, divisé en plusieurs sections, notamment
le Conseil d'en haut, pour la politique extérieure.
Les parlements doivent se soumettre à la politique
royale, les provinces sont contrôlées par les intendants. Les conseillers qu'il choisit ne sont pas issus
de la grande noblesse, qui est écartée des affaires,
mais de familles qui doivent tout à la faveur royale :
les Colbert en sont le plus fidèle exemple, relayés
ensuite par les Louvois.

Après avoir éliminé Fouquet, le surintendant
des Finances, dont le splendide château de
Vaux-le-Vicomte avait attiré la jalousie du roi,
Colbert devient l'homme le plus influent auprès
du roi jusqu'à sa mort en 1683.

Il réorganise les finances en s'appuyant sur
une hausse des taxes indirectes et mène une
politique économique volontariste : de grandes
manufactures sont installées (tapisseries de

Beauvais), de puissantes compagnies de commerce sont organisées pour favoriser les échanges vers les colonies (telle la Compagnie des Indes orientales en 1664).

L'absolutisme se révèle aussi sur le plan artistique. Louis XIV prend très au sérieux sa fonction de mécène, considérant que l'art doit être au service de sa gloire : il soutient des auteurs prestigieux venus à sa cour, comme Racine et Molière, et met en place de nombreuses académies destinées à promouvoir les arts et les sciences. L'Académie de peinture et de sculpture, l'Académie des sciences ou encore l'Académie de musique sont parmi les plus connues.

L'absolutisme religieux

Louis XIV entend affirmer la monarchie absolue sur le terrain religieux. Il ne conteste pas la légitimité du pape mais considère que l'organisation matérielle de l'Église de France relève de son autorité.

En 1682, il impose au clergé la Déclaration des quatre articles, proclamant l'autonomie de l'Église de France par rapport au pape, mais restant sous la direction du roi. Le roi entend également faire respecter l'unité de la foi : il combat le *jansé-nisme**, courant catholique qui conteste son pouvoir absolu. Surtout, il reprend la persécution contre les protestants en leur imposant d'héberger des soldats chez eux (c'est ce qu'on appelle les dragonnades) puis en décidant la révocation de l'édit de Nantes, en 1685 : le protestantisme est désormais interdit dans tout le royaume. Cet acte catastrophique entraîne le départ de 300 000 protestants, appartenant souvent aux plus hautes classes économiques et intellectuelles, et provoque la révolte des camisards dans les Cévennes, réprimée dans le sang.

« J'ai trop aimé la guerre »

Louis XIV mène une politique extérieure ambitieuse, tournée contre les Habsbourg d'Espagne et d'Autriche. Certes, certaines guerres furent défensives, mais le roi déclara sur son lit de mort à son arrière-petit-fils, Louis XV, qu'il avait trop aimé la guerre. Celle-ci lui apporta certes son lot de conquêtes, mais coûta cher aux finances et surtout à la démographie : on estime à 400 000 hommes le total des pertes françaises.

La guerre franco-espagnole (1655-1659) fut

conclue par le traité des Pyrénées qui apporta au royaume le Roussillon, la Cerdagne et l'Artois. Après la guerre de Dévolution (1667-1668), la conquête de Lille et d'une partie de la Flandre lui est reconnue. La guerre de Hollande (1672-1679) voit se dresser contre Louis XIV la Hollande, l'empire d'Allemagne dirigé par les Habsbourg d'Autriche et l'Espagne. Mais la France obtient la Franche-Comté et accroît ses conquêtes dans le Nord.

La révocation de l'édit de Nantes entraîne la constitution d'une alliance protestante autour du roi d'Angleterre Guillaume d'Orange : la guerre de la ligue d'Augsbourg (1689-1697) remet en cause la prépondérance de la France, qui restitue plusieurs villes du Nord mais conserve Strasbourg récemment annexée. Enfin, de 1701 à 1713, a lieu la guerre de succession d'Espagne : Louis XIV cherche à imposer son petit-fils Philippe comme roi d'Espagne, face à une coalition formée par l'Angleterre, l'empire d'Allemagne, le Portugal et la Hollande. En 1713, Philippe est reconnu roi d'Espagne mais doit laisser les territoires italiens et les Pays-Bas espagnols aux Habsbourg d'Autriche. Finalement, les frontières ainsi constituées, notamment au nord, sont assez proches des frontières actuelles. Pour assurer leur défense, Vauban, ingénieur militaire, est chargé d'établir un puissant réseau de places fortifiées au nord et à l'est.

Les favorites de Louis XIV

Sans revenir sur la question de Versailles (voir p. 21), il faut rappeler ici l'influence qu'ont pu avoir les favorites de Louis XIV sur l'évolution de la Cour, bien plus d'ailleurs que sur la politique royale. Le roi eut en effet nombre de maîtresses et une descendance illégitime abondante : il eut ainsi six enfants de Louise de La Vallière, qu'il reconnut. Mais seules deux jouèrent un rôle de premier plan ; madame de Montespan, maîtresse officielle à partir de 1667, puis madame de Maintenon, qui prit progressivement sa place avant d'épouser secrètement le roi à la mort de Marie-Thérèse. Madame de Maintenon imprima à la Cour un tournant radical à partir de 1683 : le roi se fit dévot et l'austérité religieuse s'empara de Versailles.

La fin du plus long règne

Après soixante-douze années de règne, le roi Louis XIV meurt de la gangrène. Mais ayant vu mourir ses fils et petits-fils, il doit laisser la place à son arrière-petit-fils. Alors que le royaume sort appauvri des nombreuses guerres, les finances sont au plus mal. Les parlementaires espèrent reprendre de leur pouvoir. Mais le royaume s'est agrandi, la monarchie s'est consolidée, et le prestige de la France est à son apogée.

LOUIS XV DIT LE BIEN-AIMÉ (1710-1774)

Roi de France (1715-1774)
Épouse : Marie Leszczynska

Le petit Louis, âgé de 5 ans, succède à son arrière-grand-père Louis XIV en 1715. Fils du duc de Bourgogne et de Marie-Adélaïde de Savoie, il n'exerce pas le pouvoir qui est confié au *régent** Philippe d'Orléans. La *Régence** est marquée par une réaction contre les pratiques de la fin du règne précédent : la liberté de mœurs est de retour à la Cour, et les *parlements** sont rétablis dans leur droit de *remontrance**, qui avait été supprimé par Louis XIV. Sur le plan extérieur, le régent combat Philippe V d'Espagne et le force à renoncer à l'héritage de Louis XIV en 1721. En 1723, le régent meurt, mais Louis XV, déclaré majeur, laisse le gouvernement au duc de Bourbon. Ce dernier le marie à Marie Leszczynska, fille d'un roi de Pologne détrôné, avant de laisser la place en 1726 à l'abbé de Fleury, ancien précepteur du roi. Jusqu'à sa mort en 1743, l'abbé mène une politique efficace et prudente, faisant des économies, mais il doit affronter l'agitation des parlementaires et des *jansénistes**, qui s'allient contre l'autorité royale, menaçant d'immobiliser le gouvernement. La politique pacifique de Fleury n'empêche pas la France de participer à la guerre de succession de Pologne, dans laquelle Louis XV défend en vain les droits de son beau-père, qui obtient cependant la Lorraine en compensation. À sa mort en 1766, cette province revient à Louis XV.

Le gouvernement personnel

En 1743, le roi décide de gouverner lui-même. Il est alors engagé dans la guerre de succession d'Autriche (1741-1748), qui n'apporte rien à la France, malgré la belle victoire de Fontenoy.

Louis XV révèle un caractère parfois autoritaire mais laisse le plus souvent ses ministres aux commandes, tout en étant lui-même influencé par les divers clans de la Cour et surtout par ses maîtresses. Madame de Pompadour est la plus influente : elle le fournit même en jeunes filles et use de son influence pour protéger les philosophes des Lumières. Cependant, Louis, qui avait attiré la compassion du peuple en 1744 alors qu'il était malade (il avait alors été appelé « le bien-aimé »), devient de moins en moins populaire.

Un roi de moins en moins bien-aimé

Alors que les idées portées par les philosophes se répandent (L'Encyclopédie est publiée en 1751), critiquant le principe d'autorité divine sur lequel repose la monarchie, le roi cherche en vain à censurer ces écrits. Surtout, les finances sont au plus bas et les ministres ne parviennent pas à faire accepter un nouvel impôt, le vingtième.

En outre, la monarchie est entraînée dans un conflit désastreux : la guerre de Sept Ans (1756-1763) se solde par la perte de l'essentiel des colonies, notamment le Québec, au profit de l'Angleterre.

En 1771, l'opposition des parlements, sans cesse plus virulente, est matée par une réforme judiciaire retirant l'autonomie aux *parlementaires**, qui apparaissent en victimes. Le prestige de la monarchie se dégrade, comme le montre l'affaire Damien : en 1757, Damien tente d'assassiner le roi.

Condamné à l'écartèlement, son supplice est considéré comme un acte de barbarie. Le peuple reproche en outre au roi ses multiples maîtresses et son dédain pour la religion. Lorsque Louis XV meurt de la vérole en 1774, il n'est plus du tout le roi bien-aimé qu'il a été.

LOUIS XVI (1754-1793)

Roi de France (1774-1792)
Épouse : Marie-Antoinette d'Autriche

Louis est le petit-fils de Louis XV et le fils du dauphin Louis et de Marie-Josèphe de Saxe. Son père et ses deux frères aînés étant morts, c'est lui qui devient roi en 1774. Après la difficile fin de règne de Louis XV, l'avènement de ce jeune roi suscite beaucoup d'espoirs. Louis XVI est un roi cultivé, pieux, amateur de travaux manuels et notamment de serrurerie. Mais son caractère influençable, son manque d'expérience politique n'en font pas l'homme de la situation. Certes, son règne commence sous un jour heureux : il met fin à l'autoritaire réforme de la justice menée par Louis XV et rappelle les parlements. Avec l'appui du ministre Turgot, il lance un programme de réformes : un impôt applicable à tous, y compris aux privilégiés, est instauré, et le commerce du blé est libéralisé. Mais cette réforme intervient au moment d'une mauvaise récolte : les prix flambent, déclenchant des émeutes. Cette « guerre des farines » écorne l'image du roi, qui abandonne dès 1776 son ministre. Par la suite, toutes les tentatives de réforme sont abandonnées face à la montée des oppositions, que ce soit celle de la Cour parmi les défenseurs des privilèges, ou celle des *parlementaires**. Les ministres Necker et Calonne échouent à imposer une réforme de l'État, tandis que les dettes s'accumulent : la guerre d'Indépendance (1776-1783) a en effet vu la France soutenir les États-Unis, qui viennent de naître, contre l'Angleterre. La victoire signe la revanche du traité de Paris mais ruine les caisses de l'État.

La Révolution française

Incapable d'imposer une réforme des impôts, le roi fait appel en 1788 aux *états généraux**, qui doivent apporter une solution aux finances royales.

C'est alors qu'une grave crise économique touche la France. La situation est périlleuse lorsque les États généraux se réunissent à Versailles le 5 mai

1789. Rapidement, le roi et le tiers-état s'opposent sur les modalités du vote à l'assemblée. Les États généraux se proclament en juin Assemblée constituante.

En tant que représentants de la Nation, les députés se fixent pour but la rédaction d'une Constitution qui mettrait fin à l'absolutisme monarchique. La Révolution française a commencé. Le roi renvoie alors un ministre populaire, Necker, et rappelle des troupes à Paris, ce qui entraîne des émeutes et la prise de la Bastille le 14 juillet. La situation échappe au roi : les privilèges, qui formaient la base de l'Ancien Régime, sont supprimés le 4 août, et la Déclaration des droits de l'homme et du citoyen est votée par l'Assemblée le 26 août.

Durant ces premiers temps de la Révolution, Louis XVI est dans une position ambiguë : il semble s'accommoder de la situation, et est ainsi acclamé lors de la fête de la Fédération (14 juillet 1790). Mais, dans le même temps, il n'accepte que difficilement la perte de son pouvoir absolu et, poussé par la reine qui rejette le nouveau régime, il tente de discréditer l'action de l'Assemblée constituante.

Marie-Antoinette super star !

En 1770, Louis XVI épouse l'archiduchesse Marie-Antoinette, la fille de l'impératrice d'Autriche Marie-Thérèse. Aimée dans les premiers temps, la reine devient la cible du peuple qui lui reproche son goût pour les fêtes et qui la surnomme « l'Autrichienne ». Elle donne 4 enfants au roi : Sophie Hélène Béatrice (décédée à quelques mois), Marie-Thérèse, Louis-Joseph (mort en 1789) et Louis XVII. La reine Marie-Antoinette sera guillotinée le 16 octobre 1793, neuf mois après son mari. Aujourd'hui, 250 ans après sa naissance, Marie-Antoinette est une super star. La réalisatrice américaine Sofia Coppola lui consacre un film en 2006.

La chute de Louis XVI

Dans l'espoir de trouver un soutien à l'étranger, la famille royale fuit vers l'Autriche en juin 1791, mais est arrêtée à Varennes, en Lorraine. Le roi est déconsidéré et apparaît comme un traître à la patrie. Il doit jurer fidélité à la Constitution en septembre 1791, et perd peu à peu tout soutien dans le pays. En avril 1792, il pousse même à la guerre contre l'Autriche, dans l'espoir de voir la France vaincue. Après les premières défaites, les Parisiens découvrent que le roi mène en secret une diplomatie parallèle avec les puissances étrangères :

une insurrection éclate le 10 août 1792. Le roi est démis de ses fonctions et enfermé dans la prison du Temple en compagnie de Marie-Antoinette et du Dauphin. En septembre 1792, une nouvelle assemblée est élue : c'est la Convention, qui abolit la monarchie, proclame la République et ouvre le procès du roi, désormais appelé « Louis Capet ». Déclaré coupable de haute trahison, il est guillotiné le 21 janvier 1793 place de la Révolution (actuelle place de la Concorde).

Le mystère Louis XVII

Le second fils de Louis XVI n'a pas régné. Enfermé à la prison du Temple le 10 août 1792, sous le nom de Louis-Charles Capet, il a été déclaré roi par les nobles émigrés à la mort de son père et appelé Louis XVII. Placé par la Commune de Paris sous la tutelle du cordonnier Simon, qui est décapité en 1794, Louis-Charles reste emprisonné au Temple et meurt vraisemblablement vers 1795 de la tuberculose. Mais la rumeur se propage selon laquelle l'enfant mort n'est pas Louis, qui se serait enfui avec la complicité de Simon : des dizaines de personnes déclarèrent par la suite être le véritable Louis XVII. Des analyses génétiques récentes ont prouvé que le garçon mort en prison était pourtant bien le fils de Louis XVI.

LOUIS XVIII (1755-1824)

Roi de France (1814-1824)

Épouse : Louise de Savoie

Frère de Louis XVI, Louis a fui la France en 1791 et s'est proclamé roi à la mort de Louis XVII. Exilé à travers toute l'Europe, notamment en Italie, en Allemagne, en Pologne et en Angleterre, il tente de mettre sur pied des réseaux royalistes en Vendée et dans le Midi. En 1814, à la chute de Napoléon, il est appelé au pouvoir par le Sénat avec le soutien des Anglais et d'une partie du peuple lasse de la guerre. Il accorde alors aux Français la *Charte constitutionnelle**. Mais en 1815, l'Empereur revient d'exil, prend le pouvoir durant les Cent-Jours, contraint Louis XVIII à s'exiler à Gand, en Belgique. Lorsque Napoléon est définitivement vaincu à Waterloo, Louis XVIII revient à Paris et applique une politique réactionnaire sous l'influence des *Ultras**. La Terreur Blanche est marquée par une intense persécution des anciens révolutionnaires et bonapartistes. Pourtant, dès 1818, conseillé par Decazes, Louis XVIII lance un programme plus libéral, refusant d'anéantir tous les acquis de la Révolution. Mais en 1820 le duc de Berry est assassiné : c'est l'occasion pour les *Ultras** de revenir sur le devant de la scène, en prétextant le péril d'un retour à la Révolution. À leur tête se trouve le père du duc de Berry, le duc Charles d'Angoulême, frère de Louis XVIII. C'est lui qui succède au roi lorsque celui-ci meurt sans enfant en 1824.

CHARLES X (1757-1836)

Roi de France (1824-1830)

Épouse : Marie-Thérèse de Savoie

Dernier frère de Louis XVI, Charles, que l'on appelle le comte d'Artois ou le duc d'Angoulême, émigre dès 1789 : il devient le chef des *Ultras**, qui défendent depuis l'étranger l'idée d'un retour intégral à l'Ancien Régime. Il tente un débarquement à l'île d'Yeu en 1795, mais échoue.

En 1824, il succède à Louis XVIII et se fait sacrer à Reims, cérémonie supprimée pourtant par son prédécesseur. Afin de restaurer l'Ancien Régime, il fait attribuer des dédommagements aux nobles *émigrés** (le « milliard des émigrés ») et s'appuie sur l'Église en faisant revenir les Jésuites. Cette politique suscite une forte opposition qui devient majoritaire à la Chambre des députés élue en 1827. Mais dès 1829 Charles X nomme un gouvernement ultra-royaliste, dirigé par Polignac, et dissout la Chambre en 1830. L'opposition libérale gagne de nouveau les élections.

Les Trois Glorieuses

Pour balayer la contestation, Charles X supprime en juillet 1830 la liberté de la presse, dissout la Chambre et limite le droit de vote aux Français les plus riches.

Malgré le succès de l'expédition d'Alger, le 5 juillet 1830, victoire qui ouvre l'Algérie à la colonisation française, une nouvelle révolution éclate : Paris se soulève au cours des Trois Glorieuses, les 27, 28 et 29 juillet. Charles X abdique en faveur de son petit-fils. Mais c'est finalement Louis-Philippe d'Orléans qui est désigné par la bourgeoisie parisienne pour lui succéder.

Les Orléans

•

Louis-Philippe, qui accède au trône en 1830, est l'unique roi de la dynastie des Orléans. Les Orléans forment une branche cadette des Bourbons : ils descendent de Philippe d'Orléans, fils de Louis XIII et frère de Louis XIV. Le règne de Louis-Philippe, appelé monarchie de Juillet, est le dernier de l'histoire des rois de France.

LOUIS-PHILIPPE Ier (1773-1850)

Roi des Français (1830-1848)

Épouse : Marie-Amélie de Bourbon-Sicile

Louis-Philippe est le fils du duc d'Orléans, surnommé Philippe Égalité, qui a soutenu la Révolution et voté en faveur de la décapitation de Louis XVI ! Proche lui aussi des révolutionnaires jusqu'en 1792, Louis-Philippe combat à Valmy mais rejette la tournure radicale prise par la Révolution : il rejoint les armées autrichiennes en 1793. Refusant cependant de combattre contre la France, il mène une vie d'exil entre l'Europe et les États-Unis. Revenu en France à la *Restauration**, il reste proche des libéraux. En juillet 1830, Charles X est renversé. Louis-Philippe, soutenu par la bourgeoisie, notamment par le banquier Laffitte, ainsi que par Thiers, est reconnu roi des Français (et non roi de France), c'est-à-dire roi par la volonté des Français. Il s'engage à respecter une *Charte constitutionnelle** très libérale. Le nouveau régime est censé incarner un juste compromis entre monarchie et parlementarisme, une sorte de monarchie bourgeoise. Le triomphe de la bourgeoisie est d'ailleurs renforcé par les débuts de la révolution industrielle, qui enrichit les classes dirigeantes.

Le durcissement du régime

Progressivement, le régime tend cependant à devenir plus conservateur. De nombreux complots, qu'ils soient royalistes ou républicains, sont sévèrement réprimés, et la politique intérieure passe aux mains des conservateurs, dirigés par Guizot, Premier ministre en 1840. Certes, son bilan n'est pas si mauvais : il favorise l'instruction publique et maintient une politique pacifique. Mais, à partir de 1846, la crise économique se combine au refus de Guizot d'élargir à tous les Français le droit de vote, réservé aux plus riches.

L'opposition libérale et républicaine cherche alors à toucher le pays par une campagne de banquets. En 1848, le gouvernement tente d'interdire un grand banquet républicain, ce qui déclenche la révolution de février 1848 à Paris. Le renvoi de Guizot ne parvient pas à calmer les insurgés : Louis-Philippe abdique le 24 février au profit de son petit-fils, mais la IIe République est proclamée. Louis-Philippe fuit en Angleterre. La France ne connaîtra plus de roi.

Glossaire

•

Albigeois

Nom donné aux *cathares** d'Albi et par la suite à tous les *cathares** du Sud-Ouest de la France. En tant qu'*hérétiques**, ils furent combattus de 1209 à 1229.
Cela permit aux rois de France de s'implanter dans le Sud-Ouest.

Apanage

Partie du domaine royal donnée aux fils cadets du roi afin de leur permettre de tenir leur rang et de payer leurs dépenses.

Austrasie

Nom d'un royaume mérovingien situé au nord-est de la France actuelle.

Cathares

Adeptes d'une religion répandue dans toute l'Europe entre les XIe et XIIIe siècles. Inspirée du christianisme, elle affirmait cependant que le monde était l'œuvre du diable. Elle fut déclarée hérétique par l'Église et violemment combattue par les rois.

Charte constitutionnelle

Texte de loi octroyé par Louis XVIII en 1814 et définissant l'organisation des pouvoirs, instaurant en France une monarchie constitutionnelle qui reconnaissait certains acquis de la Révolution, comme l'égalité civile.

Connétable

Officier chargé à l'époque mérovingienne de l'écurie du roi. Le connétable devint sous les Capétiens chef de la cavalerie royale, puis de toute l'armée.

Émigrés

Nom donné aux aristocrates ayant quitté la France durant la Révolution française.

États généraux

Assemblée réunie par le roi et composée de membres des trois ordres le clergé, la noblesse, le tiers état (c'est-à-dire le reste du royaume). Apparus au XIVe siècle,

ils étaient appelés pour approuver une décision importante, principalement la levée d'impôt.

Féodaux

Les féodaux sont les seigneurs qui disposent d'un domaine (le fief) sur lequel ils exercent leur pouvoir. En échange, ils doivent au seigneur supérieur, qui leur a concédé ce fief, un certain nombre de services et un soutien militaire. Souvent très puissants au Moyen Âge, ils mènent leur propre politique, notamment contre le roi, tout en le reconnaissant comme leur *suzerain**.

Grands

On désigne sous ce terme

les personnages les plus
puissants du royaume
sous les rois francs :
évêques, descendants des
plus puissantes familles,
comtes envoyés dans les
provinces. Progressivement
ils acquirent une grande
autonomie et purent peser
sur le choix du nouveau
roi en période de crise.

Hérétiques

L'Église catholique désigne
ainsi ceux qui défendent
une opinion contraire
à son dogme : les
hérétiques sont alors
condamnés, et violemment
combattus.

Jacquerie

Révolte paysanne au
Moyen Âge. La Jacquerie
de 1358, qui s'en prit

violemment aux seigneurs,
fut encore plus durement
réprimée.

Jansénisme, jansénistes

Doctrine chrétienne
fondée sur les écrits de
Jansénius et insistant sur
le rôle déterminant de
Dieu dans le salut des
âmes. Elle fut combattue
par les papes et les rois
de France ; les jansénistes,
alliés aux *parlementaires*,
devinrent de plus en
plus critiques envers la
monarchie.

Lotharingie

Royaume issu du partage
de 843 entre les fils de
Louis le Pieux, et tirant
son nom du roi Lothaire.
Il s'étendait de la mer du
Nord à l'Italie.

Maires du palais

Anciens majordomes du palais des Mérovingiens, ils dirigèrent rapidement l'ensemble de l'administration, prenant ainsi le contrôle du royaume.

Neustrie

Nom du royaume mérovingien centré sur Paris et allant de la mer du Nord à la Loire.

Officiers

Agents du roi qui détiennent un office, c'est-à-dire une fonction. À l'origine, ces fonctions pouvaient être domestiques, mais étaient devenues administratives, judiciaires et militaires.

Parlement

Cour de justice royale. Chargés de rendre la justice au nom du roi, les parlements de Paris et des villes de province se déclarèrent souverains et revendiquèrent leur autonomie par rapport à la monarchie, qui dut combattre leur opposition. Il ne faut pas confondre ce type de parlement avec celui que nous connaissons et où sont votées les lois.

Parlementaire

Membre d'un parlement.

Pippinides

Famille franque qui réussit à accaparer la fonction de *maire du palais** sous les derniers Mérovingiens.